Fabio Volo

IL TEMPO
CHE VORREI

MONDADORI

Dello stesso autore
nelle edizioni Mondadori
Esco a fare due passi
È una vita che ti aspetto
Un posto nel mondo
Il giorno in più

www.librimondadori.it

Il tempo che vorrei
di Fabio Volo

ISBN 978-88-04-59238-9

© 2009 Arnoldo Mondadori Editore S.p.A., Milano
I edizione novembre 2009
Anno 2009 - Ristampa   3 4 5 6 7

Il tempo che vorrei

A mia sorella Cristina

"Lo que me gusta de tu cuerpo
es el sexo.
Lo que me gusta de tu sexo
es la boca.
Lo que me gusta de tu boca
es la lengua.
Lo que me gusta de tu lengua
es la palabra."
JULIO CORTÁZAR

"Ho commesso il peggiore dei peccati
che possa commettere un uomo.
Non sono stato felice."
JORGE LUIS BORGES

Sono figlio di un padre mai nato. L'ho capito osservando la sua vita. Da che ho memoria non ricordo di aver mai visto il piacere nei suoi occhi: poche soddisfazioni, forse nessuna gioia.

Questo mi ha sempre impedito di godere pienamente della mia, di vita. Come può infatti un figlio vivere la propria se il padre non ha vissuto la sua? Qualcuno ci riesce, ma è comunque faticoso. È un'officina di sensi di colpa che lavora a pieno ritmo.

Mio padre ha sessantasette anni, è magro e ha i capelli grigi. È sempre stato un uomo pieno di forza, un lavoratore. Ora però è affaticato, stanco, invecchiato. È stato deluso dalla vita. Così deluso che quando ne parla spesso si ripete. Vederlo in questa condizione scatena in me un forte senso di protezione. Mi intenerisce, mi dispiace, vorrei fare qualcosa per lui, vorrei aiutarlo in qualche modo. E mi sento male perché mi sembra di non fare mai abbastanza, di non essere mai abbastanza.

Spesso, soprattutto negli ultimi anni, lo osservo di nascosto. Lo guardo con attenzione e solitamente finisce che mi commuovo senza una ragione valida, se non per quel

9

groviglio interiore che provo da sempre e che mi tiene legato a lui.

Abbiamo avuto una relazione difficile e il nostro è quel tipo di amore che solamente chi ha avuto il coraggio di odiarsi può conoscere. Quell'amore vero, guadagnato, sudato, cercato, lottato.

Per imparare ad amarlo ho dovuto fare il giro del mondo. E più mi allontanavo da lui, più in realtà mi stavo avvicinando. Il mondo è tondo.

C'è stato un lungo periodo in cui non ci siamo parlati. E non parlare con un genitore significa avere ginocchia fragili, significa aver bisogno all'improvviso di sedersi un attimo. Non perché ti giri la testa, ma perché ti fa male lo stomaco. Mio padre è sempre stato il mio mal di pancia. Per questo ho iniziato ad amarlo veramente solo dopo che sono riuscito a vomitare tutta la mia rabbia, il mio odio e il mio dolore, visto che molte di queste sensazioni portavano il suo nome.

Quand'ero piccolo volevo giocare con lui, però il suo lavoro lo portava sempre via. Lo ricordo soprattutto in due situazioni: mentre si preparava per andare a lavorare o mentre riposava stravolto dal lavoro. In ogni caso dovevo aspettare: io per lui arrivavo sempre dopo.

Mio padre mi è sempre sfuggito, e ancora oggi è così. Prima me lo portava via il lavoro, ora pian piano me lo sta portando via il tempo, un avversario con cui non posso misurarmi, con cui non posso competere. Per questo, ora, vivo la stessa sensazione di impotenza che provavo da bambino.

Soprattutto negli ultimi anni, ogni volta che lo vedo mi accorgo che è sempre più vecchio, e lentamente, giorno dopo giorno, sento che mi scivola via dalle mani. E ormai non mi resta che stringere forte la punta delle sue dita.

All'età di trentasette anni, guardando quest'uomo mai

nato, mi viene in mente la frase che Marlon Brando aveva appesa in camera: "Non stai vivendo se non sai di vivere". Ancora oggi mi chiedo cosa posso fare per lui. Anche se adesso lo vedo fragile, indifeso, invecchiato, anche se ormai sembro più forte di lui, in realtà so che non è così. È sempre più forte di me. Lo è sempre stato. Perché a lui basta una parola per farmi male. Anzi, anche meno: una parola non detta, un silenzio, una pausa. Uno sguardo rivolto altrove. Io posso sbraitare e dimenarmi per ore, passare alle ingiurie, mentre a lui per stendermi basta una piccola smorfia, fatta con un angolo del labbro.

Se nella vita da adulto lui è stato il mio mal di pancia, da bambino era il mio torcicollo. Perché facevo sempre tutto con la testa rivolta verso di lui, verso un suo sguardo, una sua parola, una semplice risposta. Ma la sua reazione era sbrigativa: una spettinata breve ai capelli, un pizzicotto sulla guancia, il disegno che avevo fatto per lui appoggiato velocemente sulla credenza. Non poteva darmi nulla di più perché non solo mio padre non si è mai reso conto dei miei dolori, delle mie necessità e dei miei desideri, ma non si è mai reso conto nemmeno dei suoi. Non è mai stato abituato a esprimere i sentimenti, a prenderli in considerazione. Per questo dico che non ha mai vissuto veramente. Perché si è fatto da parte.

Forse per questo motivo anch'io stupidamente non l'ho mai visto come una persona che potesse avere dei desideri, delle paure, dei sogni. Anzi, sono cresciuto senza pensare che fosse una persona: era semplicemente mio padre, come se una cosa escludesse l'altra. Solo diventando grande e dimenticandomi per un istante di essere suo figlio ho capito com'è realmente, e l'ho conosciuto. Avrei voluto essere grande da piccolo per parlare con lui da uomo a uomo così magari avremmo potuto trovare una soluzione ai nostri problemi, una rotta diversa da percorrere insieme. Invece, adesso che ho capito molte cose di lui, ho la sensazione di essere arrivato tardi. Di avere poco tempo.

Ora, mentre lo osservo, ho la piena certezza di sapere cose di mio padre che nemmeno lui sospetta. Ho imparato a vedere e a capire ciò che nasconde dentro di sé e che non è in grado di tirare fuori.

A quest'uomo per anni ho chiesto amore in maniera sbagliata. Ho cercato in lui quello che non c'era. Non vedevo, non capivo, e adesso un po' me ne vergogno. L'amore che mi dava era nascosto nei suoi sacrifici, nelle privazioni, nelle infinite ore di lavoro e nella scelta di caricarsi di tutte le responsabilità. A guardare bene non era nemmeno una scelta, forse quella era la vita che tutti avevano fatto prima di lui. Mio padre è figlio di una generazione che ha ricevuto insegnamenti chiari ed essenziali: sposarsi, fare figli, lavorare per la famiglia. Non c'erano argomenti diversi su cui interrogarsi, solo ruoli prestabiliti. È come se si fosse sposato e avesse fatto un figlio senza averlo mai desiderato veramente. Sono figlio di un uomo che è stato chiamato dalla vita alle armi, per combattere una guerra privata: non per salvare un paese ma per salvare la sua famiglia. Una guerra fatta non per vincere, ma per pareggiare i conti, per sopravvivere. Per tirare avanti.

Amo mio padre. Lo amo con tutto me stesso. Amo quest'uomo che quando ero piccolo non sapeva mai quanti anni avevo.

Amo quest'uomo che ancora oggi non riesce ad abbracciarmi, che ancora oggi non riesce a dirmi: "Ti voglio bene".

In questo siamo uguali. Ho imparato da lui. Nemmeno io riesco a farlo.

1
La tapparella sempre rotta

Sono nato in una famiglia povera. Se dovessi riassumere in poche parole cosa significhi per me essere povero, direi che è come vivere in un corpo senza
braccia davanti a una tavola apparecchiata.

Non conosco la povertà che si vede spesso in televisione, quella di gente che muore di fame e non
ha nulla. Io conosco la povertà di chi possiede qualcosa, di chi ha da mangiare e ha anche un tetto, un
televisore, una macchina. La povertà di chi può fingere di non esserlo. È una povertà piena di oggetti,
ma anche di scadenze. In questo tipo di povertà sei
fortunato e sfortunato allo stesso tempo: c'è chi sta
meglio di te e chi sta peggio. Però è comunque vergogna, è colpa, è continua castrazione. E poi ansia,
precarietà del tutto: è rabbia repressa, è abbassare
sempre la testa. Non sei così povero da non avere
abiti addosso, ma i vestiti che indossi spesso ti mettono a nudo e rivelano il tuo segreto. Basta un ram-
mendo a dire chi sei. È un continuo pensiero che ti
occupa il cervello e che non lascia spazio a nient'altro, soprattutto a nessun tipo di bellezza, perché la

bellezza non è funzionale, non è utile. È un lusso che non ti appartiene.

Spesso vivi una vita apparentemente normale agli occhi degli altri, ma in realtà sei soggetto a una legge diversa: quella della privazione. E pian piano impari a mentire. Questo tipo di povertà è menzogna. Bugie a volte grandi, a volte piccole. Impari a dire che il telefono di casa è rotto, invece te lo hanno staccato; che non puoi uscire a cena perché hai un impegno; che la macchina l'hai prestata, invece non hai pagato l'assicurazione o non hai i soldi per fare benzina.

Diventi esperto nell'arte di mentire e soprattutto in quella di arrangiarti: l'arte del riparare, rattoppare, incollare, inchiodare. Questo tipo di povertà è la tapparella rotta che tieni alzata infilando sotto la cinghia un pezzo di cartoncino, che se per caso si sfila la tapparella scende di scatto come una ghigliottina. È la piastrella mancante in bagno, è il buco sotto il lavandino che fa intravedere le tubature, è il pezzo di formica saltato nell'angolo della credenza. È il cassetto che ti resta in mano quando lo apri. È l'anta dell'armadio che per chiuderla devi alzarla. Sono le prese della corrente che penzolano perché quando togli la spina escono dal muro, e per rimetterle dentro devi sistemare le due alette di ferro dentate. È la tappezzeria che si solleva tra le giunture. È la macchia di umidità in cucina, con la vernice che si gonfia come pasta lievitata, e quelle nuvolette sono così invitanti che devi lottare contro la tentazione di prendere una scala e salire per farle scoppiare. Sono le sedie che si scollano e diventa pericoloso sedercisi sopra.

È una povertà fatta di oggetti tenuti insieme da colla e nastro adesivo, che ha bisogno di un cassetto pieno di attrezzi per riparare una realtà che va a pezzi ovunque. Tutto è precario, tutto è provvisorio, tutto è fragile e in attesa di momenti migliori. Ma questi oggetti rattoppati, in effetti, poi durano tutta la vita. Nulla è più duraturo di una cosa provvisoria.

La prima volta che ho sentito mio padre dire "sono un fallito" non potevo avere la minima idea di cosa potesse significare. Ero troppo piccolo. Quando l'ha detto, al bar erano venuti dei signori per portare via delle cose. Lì ho imparato un'altra parola: "pignoramento". Da allora, ogni volta che degli sconosciuti entravano al bar o in casa e portavano via un oggetto, io non chiedevo più nulla. Perché, anche se non sapevo, capivo. E io, bambino, imparavo. Per esempio non sapevo il motivo, però capivo che era per colpa di quelle persone se la macchina di mio padre era intestata a mio nonno, il padre di mia madre. Così si diceva, "intestata": non avevo la minima idea di cosa volesse dire. Non sapevo niente, ma capivo tutto.

Sono cresciuto vedendo mio padre ammazzarsi di lavoro nel tentativo di risolvere i problemi.

Aveva un bar e ci lavorava sempre, anche se stava male. Persino la domenica, quando era chiuso, passava gran parte della giornata lì dentro a riordinare, sistemare, pulire, aggiustare.

Non sono mai andato in vacanza con i miei genitori. D'estate venivo depositato dai nonni materni che prendevano in affitto una casa in montagna.

La domenica mia madre veniva da sola dai nonni

a trovarmi e mi portava i saluti di mio padre. Non abbiamo neanche una fotografia di noi tre insieme in qualche località turistica. Non potevamo permetterci di andare tutti insieme in vacanza. Non c'erano i soldi.

I soldi... Ho visto mio padre chiederli in prestito a tutti. Parenti, amici, vicini di casa. L'ho visto umiliarsi e farsi umiliare. Quante volte da bambino mi capitava di andare a casa di suoi amici, gente che nemmeno conoscevo, e aspettare in cucina. Magari con la moglie, mentre lui andava in un'altra stanza con l'amico a fare "una cosa". La signora sconosciuta mi chiedeva se volevo qualcosa e io dicevo sempre di no. Non parlavo molto, ero sempre a disagio e tutti mi sembravano giganti. In fondo credo fosse la stessa sensazione che provava mio padre.

Ha chiesto soldi a tutti, proprio a tutti. Anche a me, che ero un bambino. Un giorno è venuto nella mia cameretta a trovarmi perché avevo la febbre. Stavo male, ma ero felice perché mia madre mi aveva appena detto che il motivo della febbre era che stavo diventando grande: non appena mi fosse passata, sarei stato più alto

«Lo sai, papà, che quando guarisco sarò cresciuto? Diventerò grande come te?»

«Certo, anche più grande di me.»

Prima di uscire dalla cameretta ha preso il mio salvadanaio, un ippopotamo rosso. Mi ha detto che avrebbe messo i soldi in banca. Mi ha convinto dicendomi che me ne avrebbe restituiti di più quando li avrei chiesti indietro.

Col tempo ho capito come stavano veramente le

cose riguardo al mio salvadanaio e mi sono sentito tradito, ingannato. Ho imparato da subito ad avere poca fiducia nei confronti degli adulti, per questo sono cresciuto con una fragilità dentro costretta a mascherarsi da forza. Non ho avuto accanto una figura forte che mi facesse sentire al sicuro, che mi facesse sentire protetto. Molte persone, crescendo, si accorgono che quel gigante che è il padre non è poi così potente. Io l'ho scoperto fin da bambino. Come tutti anch'io avrei voluto considerare mio padre invincibile, ma quell'idea per me è durata poco.

Mio padre lavorava, lavorava, lavorava. Lo ricordo mentre si addormentava a tavola guardando il telegiornale. La testa gli cadeva in avanti lentamente finché un colpo finale, come una frustata con il collo, lo svegliava. Si guardava in giro per rendersi conto dov'era e per capire se io e mia madre lo avevamo visto. Tutto questo giro di perlustrazione lo faceva muovendo la bocca come se stesse masticando. Come fanno le mucche. Io lo osservavo e vedevo, prima della frustata, dei piccoli cedimenti della testa e aspettavo che arrivasse quello forte. E ridevo. Quando capiva che lo stavo fissando e che mi ero accorto di tutto, mi sorrideva e mi faceva l'occhiolino. Io ero felice. Ogni volta che mi faceva l'occhiolino, magari di nascosto da mia madre, mi faceva sentire così complice e vicino a lui: mi sembrava una cosa solo per noi due uomini. Allora cercavo di farglielo anch'io ma, siccome non ne ero capace, chiudevo entrambi gli occhi. O ne chiudevo soltanto uno usando il dito. Ogni volta speravo che fosse l'inizio di una nuova amicizia tra noi, più intima.

Che finalmente avesse deciso di giocare un po' più con me e di portarmi sempre con sé. Ero così felice che le gambe penzolanti dalla sedia iniziavano ad andare avanti e indietro. Come se nuotassi in quella sensazione. Invece no, la complicità finiva lì. Dopo aver mangiato si alzava per andare a sbrigare delle piccole faccende, o per tornare a lavorare. Io ero piccolo e non capivo, semplicemente pensavo che non mi volesse, che non desiderasse stare con me.

I miei tentativi per attirare la sua attenzione e il suo amore fallivano sempre. Con mia madre ci riuscivo, con lui niente. Quando dicevo qualcosa di divertente lei rideva, mi faceva i complimenti, mi abbracciava e io sentivo di avere un potere smisurato: potevo cambiarle l'umore, potevo farla ridere. Con lei avevo i superpoteri. Con mio padre, invece, non funzionavano. Non riuscivo a farlo innamorare di me.

Mi ricordo perfettamente alcune cose belle che ha fatto per me e con me. Come quando mia madre è stata ricoverata in ospedale per un piccolo intervento e mia nonna si è trasferita a vivere da noi per aiutarci. Nonna dormiva in camera mia, mentre io stavo nel lettone con lui. In quei giorni, al mattino, prima di scendere al bar a lavorare mi preparava per colazione il budino alla vaniglia. Ricordo perfino com'era apparecchiata la tavola.

O come quel sabato sera che siamo andati io, lui e mia madre a mangiare in pizzeria. Era la prima volta che uscivo a cena con loro. Mia madre ha detto: «E lunedì, quando viene il rappresentante dell'acqua a prendere i soldi, come facciamo?».

«Non lo so, ci penseremo domani» ha risposto lui.

Mentre andavamo verso la pizzeria, mio padre mi ha messo sulle sue spalle. Ricordo tutto perfettamente. All'inizio teneva le mie mani tra le sue, poi mi ha preso per le caviglie e io ho messo le mie mani sulla sua testa, afferrandolo per i capelli. Posso sentire ancora la sensazione del suo collo tra le gambe. Ero altissimo. Il mio cuore non è mai stato così in alto. Quella sera non so cosa gli avesse preso, ma era un padre. Addirittura è stato lui a tagliarmi la pizza. L'unica volta in tutta la sua vita. Era simpatico, rideva alle mie battute. Anche mia madre rideva. Quella sera eravamo una famiglia felice. Soprattutto lui. Forse l'uomo che ho visto quella sera è il mio vero padre. O, almeno, quello che sarebbe stato senza tutti i suoi problemi.

Tornando a casa in macchina, in piedi dietro di loro, tra i due sedili, pensavo che avrei voluto che quella sera non finisse mai. Per questo ho detto: «Quando arriviamo a casa posso stare ancora un po' sveglio con voi?». Poi, però, mi sono addormentato in macchina.

La mattina dopo tutto era come sempre. Era domenica. Mia madre in cucina, mio padre al bar a sistemare.

«Questa sera andiamo ancora a mangiare la pizza?»
«No, questa sera restiamo a casa.»

2
Lei

Lei se ne è andata due anni fa, o ieri sera, o forse mai, non so. Quando non stai più con la persona con cui vorresti stare, il pensiero di lei ti entra nella testa nei momenti più impensati. All'improvviso vieni assediato da ricordi e immagini. Succede ogni volta che il presente sembra passare nella tua vita senza degnarti nemmeno di uno sguardo, e allora finisce che vivere negli angoli e nelle pieghe di giorni passati è più bello di ciò che stai vivendo. *"I'll trade all my tomorrows for a single yesterday..."*: cambierei tutti i miei domani per un solo ieri, come canta Janis Joplin.

Non stare più con la persona con cui vorresti stare significa allungare la mano di notte nel buio per cercarla. Significa svegliarsi le prime mattine e, guardando il suo lato del letto, stropicciarsi gli occhi sperando sia solo stanchezza. Significa avere il fornello sporco di caffè, perché non ti ricordavi più di averlo messo sulla fiamma. Significa mettere due volte il sale nella pasta. O non metterlo affatto.

Non stare più con la persona con cui vorresti stare significa rifare: un sacco di cose, un sacco di pensieri.

Significa pulire, grattare, scrostare, raccogliere, riordinare, buttare. Significa piantare chiodi nel muro, nel legno, nel nulla. Significa comprare cose per riempire spazi vuoti. Significa tornare indietro quando si legge un libro perché non afferri le parole e, quando te ne accorgi, sei a un punto della storia che non capi sci. Significa tornare indietro anche con i DVD, schiacciare REWIND, perché non hai capito cosa è successo.

Non stare più con la persona con cui vorresti sta re significa semplicemente tornare indietro. Guar· dare indietro molto più che avanti. È un viaggio che fai appoggiato alla ringhiera di poppa, non di prua

Non stare più con la persona con cui vorresti sta re significa non dover chiamare dal lavoro per dire che sei in ritardo. A nessuno interessa, nessuno ti aspetta. Significa anche non poterti lamentare della giornata quando rientri a casa. E non è cosa da poco.

Significa accorgersi di tutti i cambiamenti, anche i più piccoli, pratici, quelli che senza una donna in casa avvengono: il sacchetto della spazzatura rima ne in casa per giorni, anche se lo metti davanti alla porta di ingresso. La carta igienica in bagno è appoggiata a terra o sul termosifone, mai al suo posto. Le lenzuola non sono profumate come prima. Ricordo ancora il profumo delle sue lenzuola una delle prime notti che ho dormito da lei. A casa mia quel profumo c'è stato solo quando è diventata casa nostra. Adesso è tornata casa mia e lei si è portata via anche tutti i profumi di buono. Neppure i silenzi, da quando se ne è andata, sono gli stessi. Capitavano spesso tra noi perché una cosa bella del nostro rapporto era che non ci sentivamo in dovere di intrattenere l'altro. Con lei i silenzi erano belli, erano tondi, morbidi e accoglienti, mentre adesso sono scomodi, spigolosi e lunghi. E, se devo essere sincero, per me sono fin troppo rumorosi. Non mi piacciono per niente.

Prima di conoscere lei avevo alcune convinzioni su di me. Lei ha cercato di farmi capire che erano sbagliate e finalmente, dopo tanto tempo, ci sono riuscito. Ci ho messo un po', anzi, ci ho messo troppo tempo, e quando ci sono arrivato lei se ne era già andata.

Mi manca. Non ho mai amato nessuna come ho amato lei. Adesso che tante cose le ho capite e sono cambiato, non sono in grado di stare con nessun'altra. Non mi incastro più: per farlo, avrei bisogno ancora delle mie vecchie convinzioni.

Sono finito a letto poche volte con altre donne. E, quando è capitato, sempre con quelle che si portano via anche il ricordo. Con una di loro è successo addirittura che, mentre eravamo a letto nudi, mi sono reso conto che l'odore della sua pelle era diverso da quello di cui ero ancora innamorato e mi sono sentito a disagio. Mi sono rivestito, scusandomi, e me ne sono andato.

Ci sono storie che durano anni e in questi anni magari ci s'innamora e disamora. Alcuni smettono di amarsi, ma rimangono comunque insieme. Altri decidono di lasciarsi, ma per farlo hanno bisogno di tempo. Prima cercano di capire se sono veramente sicuri, o se è solo una crisi passeggera. Se poi alla fine si convincono che è veramente finita, devono comunque trovare il modo di farlo, trovare le giuste parole per lenire il dolore. Ci sono persone che su questo punto possono anche perdere mesi, a volte addirittura anni. C'è anche chi ci ha perso una vita e quel passo non l'ha mai fatto. Molti non riescono a lasciare, semplicemente perché non sanno dove andare, oppure perché non riescono a sopportare l'idea di essere i responsabili del dolore dell'altro. Un dolore intenso, che può provare solo qual cuno con il quale abbiamo vissuto in intimità. Si ha la convinzione che un dolore improvviso sia troppo forte e faccia maggior danno di un dolore più piccolo, ma dosato giorno dopo giorno.

Questi rapporti vanno avanti anche se chi sta per essere lasciato lo ha già capito. Perché preferisce far finta di niente. Quando nessuno dei due è in grado di affrontare la situazione, il meccanismo si inceppa. Entrambi sono sopraffatti dalla propria incapacità e da quella dell'altro. Allora, prendono tempo. Perdono tempo. Sfiniscono il tempo.

La persona che sta per essere lasciata quasi sempre diventa più affettuosa, più gentile, più consenziente; non capisce che in questo modo peggiora la situazione, perché qualsiasi persona troppo accondiscendente perde fascino. Più si ritarda, più la vittima diventa debole.

C'è anche chi rimanda nella speranza che l'altro faccia un passo falso, un errore, manifesti anche solo una piccola debolezza per potersi aggrappare a quella e usarla come scusa per non sentirsi carnefice.

A volte anche quando non ci si ama più e ci si rende la vita impossibile a vicenda si continua a essere gelosi. E non ci si lascia solo per impedire ad altri di avvicinarsi.

Sono tanti i motivi per cui si resta insieme. Magari in una storia di cinque anni si è stati innamorati e ci si è amati solamente per due, o tre, o quattro. Per questo la qualità di una storia non può essere misurata dalla durata. Non conta il quanto, ma il come. La storia con lei è durata tre anni e io credevo di averla amata per più di quattro. Pensavo che il mio amore fosse strabordato dal tempo della nostra storia. Sono stato convinto, fino a poco tempo fa, di averla amata in silenzio anche in questi due anni che non era più con me. Poi ho capito che non la amavo semplicemente perché non ero in grado di farlo. Perché io sono sempre stato una persona distaccata. Non ho mai provato veramente l'amore, non facevo altro che immedesimarmi nelle emozioni altrui, come un attore fa con un personaggio. Ho sempre pianto al cinema, o vedendo un cane che zoppica, o per un lutto, o per le disgrazie sentite al telegiornale. Forse è tipico di chi non sa amare veramente.

Il mio amore in realtà era una recita. Sentita, ma comunque una recita. E non mi accorgevo nemmeno di farlo. Non facevo finta di amare con lo scopo di ingannare. Non le ho detto "ti amo" sapendo che non era vero. Anch'io ero tradito da me stesso, anch'io pensavo di amarla veramente. E nei tre anni passati insieme credevo di essermi innamorato di lei almeno due o tre volte.

Erano queste le mie convinzioni sbagliate, quelle che lei mi ha insegnato a scoprire e a vedere. Perché aveva ragione quando diceva che non sapevo amare. Che non ero capace di farlo. Che confondevo l'amore con l'adattarmi.

"È la tua massima espressione d'amore. Infatti confondi queste due cose. Quando ti adatti, pensi che stai amando."

Dovevo stare molto attento con lei, perché si accorgeva di tutto quello che io sentivo e facevo. Ci sono donne alle quali puoi mentire: dici cose esagerate, assurde, che suonano addirittura ridicole, e ti accorgi che invece loro ci credono. Con lei no. Se dicevo una cosa non vera, anche se plausibile, mi guardava con un'espressione come a dire "ma con chi credi di parlare?" oppure mi rideva direttamente in faccia.

Quando mi diceva che facevo confusione tra amore e adattamento, pensavo che avesse torto, che fossero semplicemente cattiverie dette durante un litigio. Invece aveva ragione.

Lei voleva da me qualcosa che io non ero in grado di darle, e per di più nemmeno riuscivo a capire cosa fosse. Io credevo addirittura che fossero insicurezze sue, paranoie. Perché, se analizzavo com'ero, pensavo: "Non sono geloso, non le chiedo mai di fare qualcosa che non voglia, non mi arrabbio praticamente mai, la lascio completamente libera, quando esce non le domando nemmeno dove va, cosa posso fare più di così?".

Non capivo cosa volesse da me. Poi tutto mi è stato chiaro. C'ho messo un po', ma ce l'ho fatta; purtroppo il risultato di questa mia lentezza è che a letto, ultimamente, ho i piedi freddi.

Adesso sono cambiato e, per questo motivo, da circa un mese ho ricominciato a cercarla. A telefonarle. Come oggi: «Ciao, sono io»

«Lo so, ti ho risposto solo per dirti che non devi chiamarmi più.»

«Ma...»

Clic.

Ho capito di amarla e di essere pronto a tornare da lei. A darle tutto quello che vuole. Proprio per questo sono rimasto sconvolto quando Nicola qualche giorno fa, parlandomi di lei, mi ha dato la notizia.

3
Una notizia sottovoce

Se qualcuno mi chiede che lavoro faccio, cerco di capire se posso dire "copywriter" o se devo limitarmi a un generico "invento pubblicità". A volte sbaglio nella valutazione e, dopo che ho detto "copywriter", molti mi chiedono cosa vuol dire. A quest'ulteriore domanda di solito rispondo: "Mi pagano per sparare cazzate" o, per tagliar corto, dico che sono un libero professionista. Che è la risposta che mi piace meno, ma chiude subito la discussione.

Nei periodi in cui una pubblicità fatta da me ha successo, dico: "Hai presente lo spot dove dicono ecco, l'ho pensato io".

Come tutti i copywriter, lavoro in coppia con un art director. Nel mio caso, il collega in questione si chiama Nicola. Il nostro è un lavoro creativo e se s'inceppa la testa è finita. Per questo lui ha aspettato che finissimo la campagna sulla quale stavamo lavorando per darmi la notizia che mi ha destabilizzato: sapeva che non sarei più riuscito ad andare avanti. Non credevo che mi avrebbe steso con quelle parole; anche se me lo dovevo aspettare, in realtà non immaginavo di prenderla così male.

Meglio comunque che sia stato lui a darmi la notizia.

Nicola e Giulia, la mia vicina di casa, sono gli amici che frequento di più in questo periodo. Siamo così intimi che al citofono o al telefono non ci chiamiamo mai per nome, diciamo solo "io".

Giulia è un'amicizia più recente rispetto a Nicola. Con lei accordo meglio certi stati d'animo. A volte ne ho bisogno come si fa con gli strumenti. Solo con le donne riesco ad avere questo tipo di rapporto. Proprio come un musicista, spesso l'accordatura la faccio in solitudine, nel silenzio di casa mia. A volte invece con un altro musicista, dal quale mi faccio dare la nota. Giulia riesce sempre a darmi la nota giusta. Nicola invece è in grado con una battuta di sdrammatizzare tutto e mi risolleva il morale con una frase o con un gesto. In questo è impareggiabile. Sono fortunato ad avere due amici così.

Giulia viene spesso a casa mia la sera; tante volte, infatti, mi capita di telefonarle e se non ha ancora cenato la invito da me. È bello cucinare per sé, bellissimo per altri. E poi le ricette per due, oltre a essere più saporite, me le ricordo meglio. A volte mi invita anche lei; al lavoro mi arriva un suo messaggio sul cellulare: *Questa sera da me riso e verdure?*

Siamo solo amici, fra noi non c'è niente. Forse perché quando l'ho incontrata, lei, la mia lei, mi aveva lasciato da poco, e Giulia stava uscendo dal suo matrimonio. Non c'era spazio nelle nostre vite... al massimo per delle scopate, ma di certo non con il vicino di casa. Insomma, è passato il momento. E poi si può avvertire una piccola attrazione anche sessuale verso un'altra persona senza per questo sentirsi obbligati a fare qualcosa in proposito.

La prima volta che Giulia è venuta a cena da me sono andato a bussarle alla porta. «Sono passato a prenderti, perché sono un uomo all'antica.»

Ha riso e siccome non era pronta mi ha fatto entrare. Mi sono guardato in giro: era proprio l'appartamento di una donna, pulito e in ordine.

A fine serata l'ho riaccompagnata a casa.

«Ti accompagno, non mi fido a lasciarti andare a casa da sola a quest'ora.»

Dopo circa un mese da quella nostra prima cena io avevo già le chiavi di casa sua, e lei le mie. Ricordo come se fosse ieri una delle prime sere passate con Giulia, in cui mi sono sentito in un film di Tarantino Durante il giorno le avevo mandato un SMS: *Pesce?*

Lei mi aveva risposto subito, ed era iniziato uno scambio di messaggi.

Sì, ma assicurati che sia fresco, ho una specie di intolleranza, poi ti spiego.

Meglio sofficini? Scherzo. Vuoi che cucini altro?

No, mi va il pesce. Basta che sia fresco.

Lo vado a pescare prima di tornare a casa.

Okay, allora pesce alle nove. Arrivo a casa, faccio una doccia e vengo da te.

Passo a prenderti come sempre. Ciao, a dopo.

Ho sentito che rientrava verso le otto e mezzo, alle nove sono andato a prenderla.

In casa era quasi pronto: insalata, riso basmati e un'orata nel forno, con patate e pomodorini Pachino.

Abbiamo aperto il vino. Anche se mangiavamo pesce abbiamo preferito un vino rosso: ho aperto una bottiglia di Montecucco.

Lei mi ha detto: «Ti devo dire una cosa, ma non spaventarti» e ha tirato fuori un tubetto giallo con un ago all'estremità. Come fosse una siringa. «Se mentre mangiamo il pesce vedi che inizio a parlare male, a biascicare le parole, o capisci che non sto tanto bene, devi togliere questo cappuccio e farmi un'iniezione. È adrenalina.»

«Cosa stai dicendo, sei matta? Stai scherzando, vero?»

«No, sono intollerante all'istamina e nel pesce, se non è fresco, ce n'è un sacco. Quindi, se mi succede che non sto bene, basta che mi fai questa iniezione.»

«Ma perché cavolo non me lo hai detto prima? Ti facevo una pasta o un petto di pollo...»

«Perché mi va di mangiare il pesce ogni tanto. Vado anche a mangiare il sushi. Solo che per precauzione ti avviso subito, magari dopo non riesco a spiegarmi bene perché faccio fatica a parlare prima di perdere i sensi.»

«Ma no, ma no, ma no... Sei matta, io non voglio quest'ansia. Adesso ti faccio un piatto di pasta. Ma ti sembra che mangio il pesce con il rischio che tu rovini a terra e io devo spararti una siringa nel cuore come in *Pulp Fiction*? Io non sono John Travolta. Mi tremano le gambe solo a dirlo.»

«Non devi spararmi una siringa nel cuore, va bene anche qui, nella coscia.»

«Ma per me è uguale, mi agito a tagliarmi le unghie, ti sembra che possa anche solo pensare a te per terra che biascichi parole incomprensibili e io che ti inietto nella coscia una siringa di adrenalina?»

«Guarda che mi è successo solamente una volta, due anni fa, quando stavo in America. Per questo mi hanno dato questa cosa. Dài, ho mangiato sushi settimana scorsa, ti avviso solo per precauzione, ma veramente non succede mai. È fresco il pesce, no?»

«Sì, è fresco. Però magari non come dovrebbe essere, non so, adesso sono in paranoia. L'occhio era da pesce fresco, mi ha fatto anche l'occhiolino e mi ha detto "mangiami". È stato in macchina venti minuti, il tempo di tornare a casa e poi l'ho sdraiato nel forno.»

«Allora non c'è problema.»

«Insomma...»

Abbiamo mangiato il pesce.

Ogni trenta secondi chiedevo: «Come stai? Come stai? Come stai?».

«Se non fosse fresco starei già male, quindi rilassati. Non succede niente.»

«Tu non sei normale, ma perché mangi pesce?»

«Perché mi piace.»

Ho preso il tubetto giallo e gliel'ho restituito. «Ti è piaciuta la cena?»

«Sì.»

«Altre intolleranze? Se ti cucino il tacchino la prossima volta che devo fare, spararti una supposta con la fionda?»

«Domani ti porto il foglio con le cose che è meglio se non mangio, tipo cibo in scatola, formaggi stagionati, pomodori... Così quando mi inviti sai cosa puoi farmi trovare. Lo so, sono una palla.»

«Non sei una palla. Dev'esserlo per te, più che altro.»

Dopo circa un paio di mesi che conoscevo Giulia ho organizzato una cena per farla incontrare con Nicola. Ormai era troppo curioso di vederla. Ne parlavo spessissimo e stava diventando una figura mitologica, un mistero leggendario. Ora sono amici, e sono le persone che frequento di più.

C'è solo una cosa che non capisco riguardo all'affinità che ho con Giulia. Nonostante lei mi capisca e mi conosca in maniera veramente profonda, sbaglia sempre sui miei gusti in fatto di donne. Succede spesso. Non so quante volte mi ha detto: "Devo presentarti una mia amica molto bella, ti piacerà di sicuro". Poi arrivava con l'amica e io pensavo che mi avesse parlato di un'altra. Non poteva essere lei. Addirittura una volta non solo mi ha detto che era bella, ma che era anche la ragazza giusta per me. Dopo averci parlato cinque minuti mi sono ritrovato a pensare: "Giulia non ha capito niente di me". Non mi spiego come abbia potuto anche solo per un istante immaginare che quella ragazza potesse piacermi.

Questo problema con Nicola non ce l'ho solamente perché lui non mi direbbe mai: "Ho un'amica da presentarti che è giusta per te". Al massimo mi direbbe: "Ho un'amica da presentarti che secondo me te la dà subito".

Insieme abbiamo fatto anche il "patto del cassetto". Ognuno di noi tre ha delle cose chiuse in un cassetto che non vorrebbe mai che fosse aperto. Il patto consiste nell'accordo che, se uno di noi dovesse morire all'improvviso, gli altri devono entrare in casa del defunto e far sparire il contenuto del cassetto, per evitare spiacevoli sorprese ai parenti. In realtà, anche se lo abbiamo chiamato il patto del cassetto, nel caso mio e di Nicola è semplicemente una scatola, contiene più roba...

Il contenuto del cassetto di Giulia è qualcosa che sua mamma è meglio non veda. "Giochini", come li chiama lei, "giochini vibranti", come li chiamiamo io e Nicola. Il contenuto della scatola di Nicola sono i filmati di lui mentre fa l'amore con un paio di ex. Il contenuto della mia scatola è... beh, lasciamo perdere, che è meglio.

La sera in cui Nicola mi ha dato la notizia era a cena a casa mia. Doveva uscire con Sara, ma nel pomeriggio lei lo aveva chiamato e gli aveva detto che non stava bene. Allora l'ho invitato a cena. Succede spesso che venga a passare la serata da me. Solitamente mangiamo e guardiamo un film. Nella mia videoteca personale si possono pescare titoli come *C'era una volta in America*, *Quei bravi ragazzi*, *Il padrino*, *La grande guerra*, *I soliti ignoti*, *Umberto D.*, *C'eravamo tanto amati*, *La battaglia di Algeri*, *Il conformista*, *La strana coppia*, *L'appartamento*, *I sette samurai*, *Signore e signori*, *Manhattan*, *La febbre dell'oro*. Questi però solitamente li guardo da solo. Con lui spesso finisce che guardiamo film come *Non ci resta che piangere*, *Frankenstein Junior*, *Altrimenti ci arrabbiamo*, *Lo chiamavano Trinità*, *Vieni avanti cretino*, *Zoolander*, *Borotalco* e il primo *Vacanze di Natale*

Quando è entrato in casa, gli ho chiesto come sta va Sara.

«Meglio, è sempre così tutti i mesi Il primo gior

no del ciclo è costretta a stare a letto per il dolore. Solamente perché ha dovuto interrompere la pillola per un po'. Appena potrà riprenderla, non succederà più.»

«Io non ho mai sentito che una donna per le sue cose non riesce ad alzarsi dal letto.»

«Non è uguale per tutte. Dipende. Quando le donne stanno così male, quasi sempre è perché l'organismo produce pochi estrogeni e progesterone e ha una bassa quantità di serotonina. Con la pillola si risolve il problema perché aiuta a non avere grossi sbalzi ormonali.»

«Ma che cazzo ne sai tu di queste cose? Ma poi che cos'è il progesterone? Un animale preistorico che vive nelle caverne? Io non l'ho mai sentito e tu sai cos'è... mah!»

«Certo che lo so.»

«E perché lo sai?»

«Ma scusa, l'altra sera Giorgio a cena ci ha spiegato per due ore i vari tipi di pesca, di lenze, di mulinelli, di galleggianti...»

«Cosa vuoi dire?»

«Che ognuno c'ha le sue passioni. Io di canne da pesca non ne so nulla. Ma per il resto ho studiato, mi sono informato.»

«Che hai fatto, una scuola serale sulle mestruazioni? Ma che cazzo di passione è?»

«Ti ho appena detto che mi sono informato. Come uno che è appassionato di macchine e s'intende di motori. Scusa, ma che c'è di sbagliato?»

«No, per carità... non c'è niente di sbagliato, mi sembra solo un po' strano che tu sappia queste cose, a me fa schifo anche parlarne... cioè non mi verrebbe mai in mente di mettermi a studiare ormoni, pillola, mestruazioni e, come cacchio si chiama, procione... progesterone. L'unica cosa che so sulle mestruazioni è che se una donna prende la pillola spesso sono più regolari, o che se vive o sta a stretto contatto con altre donne tendenzialmente poi le mestruazioni vengono nello stesso periodo. Punto.»

«Beh, sai già un sacco di cose in confronto alla media...»

«Cosa vuoi da mangiare?»

«A me va un primo... ci facciamo una pasta?»

«Risotto?»

«Okay per il risotto. Comunque...» ha aggiunto Nicola «non per tornare sul discorso, ma siccome so che quando fai un errore ti piace essere corretto, ti volevo dire che hai detto una cosa sbagliata sulla pillola e sulle mestruazioni.»

«Che cosa?»

«Se una donna prende la pillola, non si chiamano mestruazioni.»

«No? E come si chiamano?»

«Emorragia da sospensione. Siccome la pillola inibisce l'ovulazione, si chiamano così. È un'emorragia. Pensa che siccome non sono mestruazioni, ma solo perdite che non servono a nulla, in America hanno inventato la pillola che te le toglie quasi del tutto. Vengono tre volte all'anno: ogni quattro mesi e non ogni ventotto giorni.»

«Ma tu davvero ti sei messo a studiare queste cose? Ti sei informato sul ciclo mestruale delle donne?»

«Guarda che sembrano cose da poco, ma non è così.

Le donne sono complicate anche per una questione ormonale molto complessa. Sapere come e quando hanno il ciclo è utile per molte cose.»

«Tipo?»

«Per esempio nelle prime due settimane del ciclo mestruale il cervello aumenta le connessioni nell'ippocampo di più del venti per cento e questo le rende più sveglie, più veloci, tendenzialmente più di buonumore e più lucide. Poi le ovaie iniziano a produrre progesterone distruggendo tutto il lavoro che hanno fatto prima gli estrogeni. Quindi il cervello pian piano diventa sempre più lento. Il progesterone verso gli ultimi giorni del ciclo crolla. È come se l'organismo fosse privato all'improvviso di una droga calmante e le donne diventano più nervose, sensibili e irritabili. La mia ex i giorni prima del ciclo piangeva anche solo sfogliando una rivista: se vedeva un cucciolo di cane arrotolato nella carta igienica non riusciva a trattenere le lacrime. Credi sia una cosa da poco sapere queste cose? Se vuoi farti due o tre giorni al mare, è meglio se ci vai verso la fine delle prime due settimane: nelle ultime rischi di litigare con niente.»

«Tu non sei normale. Dimmi che non è vero che organizzi i weekend con una donna in base ai suoi scompensi ormonali...»

«No, però tendenzialmente cerco di...»

«Tu hai ricominciato a drogarti, dimmi la verità.»

«Qualche canna... insieme a te, tra l'altro. Lasciatelo dire, tu sottovaluti l'aspetto biologico. Pensi veramente che non serva sapere che quando la donna è nel periodo dell'ovulazione è più sensibile al richiamo dei ferormoni maschili? Credi sia cosa da poco? Per esempio, se a me piace una e scopro quando sta ovulando, non mi metto il deodorante. Funziona. Guarda che anche tu sei condizionato dagli ormoni... Ma lo sai che ci sono donne che durante l'ovulazione si passano un dito dentro e poi se lo mettono sul collo come fosse un profumo... e noi ne siamo attratti?»

«Credo di non aver capito cosa intendi per "dentro", o forse *spero* di non averlo capito.»

«Le donne si bagnano le dita infilandosele nella vagina, poi, come fosse un profumo, se lo mettono sul collo. I ferormoni vaginali non li sentiamo perché vengono percepiti solamente dalla parte posteriore del setto nasale. Non ce ne rendiamo conto, ma li sentiamo. E ci attirano. I ferormoni forniscono informazioni genetiche: se sono simili ai nostri respingono, se sono diversi attraggono. A volte ti piace una donna, ma appena senti il suo odore non ti piace più. Significa che geneticamente siete molto simili. La mia ex usava questa tattica per rimorchiare e funzionava. Chiedilo a una donna con la quale hai confidenza.»

«Che schifo.»

«Ti farà anche schifo, ma sono cose serie, infatti non so se hai notato che ho detto "vagina" e non "fica".»

«Certo che l'ho notato. Credo sia la prima volta da quando ti conosco che ti sento dire "vagina". Comunque a che ti serve sapere tutte queste cose? Vuoi dirmi che da quando le sai scopi meglio?»

«No. Non credo. Ma quando ne parlo le donne pensano di sì.»

«Ah, ecco il perché: non migliora le prestazioni, ma serve a convincerle. E questi sono i tuoi argomenti di intrattenimento con le donne? Beh, complimenti.»

«Se ostenti una conoscenza del motore, le persone ti aprono prima il cofano. Si fidano. Ci sono in giro uomini che ancora toccano e scopano come se dovessero rompere l'asfalto con un martello pneumatico... invece, parlando di queste cose, dai l'idea di essere uno che sa dove mettere le mani. Le incuriosisci, se non altro. E poi sai che a me piace essere amico delle donne; e prima scopi, prima puoi iniziare un rapporto d'amicizia profondo.»

«Perché, senza scopare non puoi farlo?»

«È più difficile. In ogni caso meglio scopare subito o comunque il prima possibile. Ci sono un sacco di vantaggi a farlo subito.»

«Tipo?»

«Mah... in questo momento non mi viene in mente nulla, ma ci penso e ti faccio un elenco. Adesso ho fame. Ce l'hai qualcosa da mettere sotto i denti mentre cuciniamo?»

«Apri il frigo. Ci sono degli affettati e dei formaggi, se vuoi.»

Nicola si è seduto a tavola e ha iniziato a mangiare del prosciutto e della mozzarella.

«Ma tu come fai ad avere sempre la credenza e il frigorifero pieni? Quando la fai, la spesa?»

«Tornando dall'ufficio. Saluto te, esco e vado a fare la spesa.»

«Ti invidio. Io saluto te, esco e vado a farmi un aperitivo. Sai che questo risotto è la prima cena calda da una settimana? Da giorni, ormai, mi nutro solo di salatini. Sto in piedi con birra e patatine.»

Gli è suonato il telefono e, rispondendo con la bocca piena, è andato in terrazza a parlare.

Prima che uscisse gli ho chiesto: «Preferisci risotto allo zafferano o ai quattro formaggi?».

«Quattro formaggi? Che succede oggi, sei guarito?»

«Sì, sto guarendo.»

«Preferirei lo zafferano, ma sono felice di vedere i tuoi miglioramenti.»

«Piano piano, senza fretta.»

Il risotto ai quattro formaggi era il piatto che lei faceva meglio. Nessuno ha mai fatto un risotto ai quattro formaggi buono come il suo. In nessun ristorante. Per noi era un appuntamento fisso: risotto ai quattro formaggi e tiramisù.

Da quando mi ha lasciato non ho più cucinato e mangiato il risotto ai quattro formaggi. Per questo Nicola è rimasto stupito.

Dopo che è rientrato, gli ho detto: «Sei diventato un quindicenne con quel telefono da quando stai con lei».

«Parlavamo di te. Ho una cosa da dirti, però... non so... Sara sostiene che avrei già dovuto farlo.»

«È incinta?»

«No, non è una cosa che riguarda noi, ma te, cioè non te direttamente, però...»

«Tu e Sara parlate di cose mie? Cioè tu hai già dei segreti con lei che riguardano me? Non so se questo posso perdonartelo.»

«Tranquillo, sei sempre il mio preferito. Comunque devo dirti una cosa già da qualche giorno ma, siccome secondo me ti scoccia un po' saperla, sto cercando di trovare il momento giusto. Ho aspettato che finisse il nostro lavoro, altrimenti saresti andato nel pallone... magari invece mi sbaglio e la cosa non ti interessa.»

«Vabbe', dài, smettila, dimmi cos'è. Punto.»

«Lei... la tua lei, quella che da quando vi siete lasciati mi hai vietato anche di chiamare per nome...»

«Cosa ha fatto?»

«Tra un mese e mezzo si sposa.»

4
Un bambino

Il primo bar di mio padre era di quelli che aprono tardi la mattina e chiudono la notte. Quelli in cui bisogna imparare anche a gestire i clienti ubriachi. Per questo dopo pranzo, ogni pomeriggio, lui andava a dormire. In casa bisognava fare piano, tutto diventava lento e leggero: le posate venivano messe con delicatezza nel cassetto, i piatti riposti nella credenza senza fare rumore, le sedie ben sollevate quando si spostavano, la televisione a volume basso e con la porta della cucina chiusa. Si parlava sottovoce per non disturbare. Una volta sola ho fatto i capricci e l'ho svegliato. È arrivato in cucina in mutande, spettinato e incazzato. Non l'ho più fatto. Anche perché, avendo meno confidenza con mio padre che con mia madre, i rimproveri che arrivavano da lui sembravano più gravi e mi spaventavano di più. Per esempio, quando mia madre diceva "basta", potevo andare avanti costringendola a ripetermelo; con mio padre era sufficiente una volta: smettevo subito. L'autorità paterna comunque era anche alimentata da lei, da mia madre, che spesso minacciava: "Quando torna il papà questa sera glielo dico...".

Un giorno mio padre è venuto a sapere che c'era in vendita in città, in una zona residenziale, un bar con un buon giro di clienti. Un bar diverso come tipologia, di quelli che aprono presto e lavorano molto con le colazioni. Insomma il contrario di quello che aveva: si apriva all'alba e si chiudeva verso le sette. Mio padre voleva cambiare e il nuovo bar prospettava un incasso giornaliero quasi doppio. Così ha deciso di tentare. Ci siamo trasferiti a vivere in una zona ricca della città.

Purtroppo, però, appena preso il locale gli incassi non sono stati come ci si aspettava. I primi tempi sono aumentati i debiti.

Io ero in seconda elementare, a circa metà anno. La casa è rimasta la stessa per qualche mese, poi abbiamo traslocato. Ho finito l'anno nella mia classe e l'anno dopo mi sono trasferito in una nuova scuola. Era più bella, più pulita e d'inverno il riscaldamento funzionava sempre; a differenza di quella di prima, potevo andarci senza tenere il pigiama sotto i vestiti.

Quando ancora mio padre lavorava al bar fino a tardi, io passavo le serate solo con mia madre. Spesso le chiedevo di dormire nel suo letto, e lei mi accontentava. Mi addormentavo con mia madre, mi risvegliavo nel mio letto. Quando rientrava, mio padre mi prendeva in braccio e mi portava in camera mia. Capitava praticamente tutte le notti.

Un padre che separa un bambino dalla madre gli fa nascere nell'inconscio uno strano meccanismo. Diventa quasi un rivale con cui competere. Perché quelle notti da solo con mia madre mi avevano fatto sentire l'uomo di casa, l'unico in grado di starle vicino e di proteggerla.

Dopo che mio padre ha cambiato bar, invece, ha iniziato a passare le serate con noi: di conseguenza io ho provato un fortissimo senso di impotenza e frustrazione, e lo vedevo come colui che mi allontanava dalla donna che amavo. Un rivale troppo grande, che non potevo sconfiggere. Forse è stato proprio per questa situazione che in seguito, nella vita adulta, sono sempre stato competitivo con gli uomini.

La sera a tavola eravamo in tre e in fondo io ero contento che ci fosse anche lui; nello stesso tempo, però, mi dispiaceva di non poter più dormire con mia madre. Mi sentivo come messo da parte, relegato in un angolo. Non mi sembrava giusto. Lui si era intromesso tra me e mia madre. Ormai gli unici momenti in cui rimanevo da solo con lei era quando andavamo a casa prima dal bar per preparare la cena e apparecchiare la tavola. Mi piaceva aiutarla. Lei cucinava, io apparecchiavo. Era una cosa che non mi chiedeva nemmeno più di fare, sapevo che era compito mio.

Un giorno ho sentito i miei genitori che parlavano fra loro e commentavano il fatto che con l'inizio dell'anno scolastico sarebbero aumentate le spese e non sapevano come affrontarle. Cartella, astuccio, quaderni, libri... Nella mia testa ho iniziato a formulare il pensiero di essere un peso, di essere la causa dei problemi della mia famiglia. Come quando i genitori si separano e i figli si sentono responsabili.

Sono cresciuto pieno di sensi di colpa, e così da bambino ho cercato di non creare mai problemi e di stare sempre buono.

Ricordo che desideravo un orologio come quello che aveva mio padre, ma non osavo chiederlo e allora me lo facevo da solo con il segno dei denti, dandomi un morso al polso. Un orologio che oltre a farmi immaginare l'ora mi faceva notare che avevo alcuni denti storti. Purtroppo durava poco. Meno del tempo.

I libri di scuola non erano mai nuovi. Andavamo a comprarli usati sulle bancarelle o addirittura a casa delle persone. Mamma li sfogliava sotto gli occhi di un'altra madre. Erano famiglie con gli stessi problemi, donne prive di qualsiasi talento per il commercio costrette a venirsi incontro più che a barattare.

Prima di iniziare la scuola lei comprava una carta plastificata e me li ricopriva. Erano tutti uguali da fuori. Per capire che libro fosse mettevo un'etichetta nel centro con la materia: STORIA, MATEMATICA, GEOGRAFIA. Se qualche libro di cui avevo bisogno non si trovava usato e bisognava comprarlo nuovo, ero costretto a trattarlo bene; se dovevo sottolineare, lo facevo con la matita. A volte, durante l'anno, quelli usati si scollavano e, finché mia madre non me li rincollava, andavo a scuola con il libro senza copertina, direttamente con la prima pagina a vista.

Quando si scollavano le copertine dei miei libri di seconda o terza mano, la maestra mi apostrofava: «Ma ti sembra il modo di tenere un libro?».

A quella maestra non piacevo. Non comprendevo esattamente come mai, forse semplicemente perché ero povero. La povertà è una condizione per cui a volte vieni respinto come fossi portatore di una malattia contagiosa. Non capivo, però vivevo una strana sensazione: mi sembrava di non essere accettato, benvoluto, coinvolto, e allora mi rifugiavo nelle mie fantasie. Mi distraevo e non seguivo la lezione, anche perché l'obbligo di stare fermo in un posto ad ascoltare cose che non mi interessavano mi spingeva a fantasticare. Passavo la mattina a guardare fuori dalla finestra, osservavo il ramo di una pianta che arrivava all'altezza della nostra classe e immaginavo di scappare da lì. Inventavo storie di me in giro per il mondo. Sognavo di uscire a correre e giocare, di incontrare gente, di viaggiare su navi alla scoperta di terre lontane. Mi chiedevo sempre com'era il mondo di mattina fuori dalla scuola. Io lo conoscevo solo nel pomeriggio. Sognavo di riprendermi la vita del mattino che la scuola mi stava rubando.

L'abitudine di fantasticare guardando fuori dalla finestra mi è rimasta: ancora adesso, a volte, durante le riunioni ho bisogno di alzarmi e guardare fuori. Non riesco a stare seduto per molto tempo.

Dopo anni posso dire che una cosa sicuramente me l'ha insegnata quella maestra: l'odio. Non avevo mai odiato nessuno fino ad allora. Umiliandomi mi ha insegnato l'odio. Il mio corpo ha iniziato a ribellarsi: a scuola avevo spesso fortissimi mal di pancia, dei crampi che mi passavano solamente quando mia madre veniva a prendermi per riportarmi a casa

In silenzio mi ribellavo alle umiliazioni della maestra con piccole vendette. Una era il modo in cui scrivevo: non tenevo il quaderno dritto come tutti i miei compagni, ma verticale, così, invece di scrivere da sinistra verso destra, io scrivevo dal basso verso l'alto. Piegandomi anche un po' di lato. Lei ha cercato più volte di raddrizzarmi, ma alla fine non c'è riuscita e ci ha rinunciato. Anche perché la mia grafia era bella. In quella posizione tutte le lettere, soprattutto quelle alte, erano sbilanciate in avanti, come punte d'alberi piegate dal vento. Ancora oggi scrivo così.

L'altra forma di ribellione era non studiare. Mia madre, d'altra parte, era più preoccupata che io fossi educato. La buona educazione per lei era tutto. Teneva il volume della televisione basso per non disturbare i vicini. Salutava sempre tutti, anche chi non salutava mai per primo. Mi è rimasta talmente in testa questa mania delle buone maniere che la prima volta che ho preso un aereo, quando è passata la hostess e mi ha chiesto "caffè?", ho risposto: «Se lo fate per voi ne prendo volentieri una tazzina».

Non potendo fare le vacanze in famiglia, qualche volta i miei mi mandavano in colonia. Prima della partenza, mia madre cuciva su tutti i miei vestiti, mutande, calze e asciugamani le mie iniziali.

In colonia ho dato il mio primo bacio, a Luciana. Ma il ricordo più forte che ho di quelle estati è meno romantico. Avevo iniziato a litigare con Piero quando a un certo punto lui mi ha detto: «Stai zitto che non dovresti nemmeno esser qui, i soldi per venire in colonia te li ha dati don Luigi».

Io ho gridato: «Non è vero!».

«Sì, è vero, me lo ha detto mia mamma, ha raccolto lei i soldi e tu non hai pagato... lo ha fatto la parrocchia per te.»

Gli sono saltato al collo e l'ho picchiato mentre piangevo. Quando ci hanno divisi, sono scappato via. Poi don Luigi è venuto a cercarmi. Io stavo male e mi sembrava che tutti sapessero e mi guardassero in maniera diversa.

In realtà le differenze tra la mia famiglia e le altre le avevo già notate tutte. Finché stai in casa il mondo è quello, ma la povertà si nota di più nel confronto. A scuola, per esempio: a parte i libri usati, io non avevo la cartella con i personaggi dei cartoni animati del momento. Anche i quaderni erano di un colore unico; mio padre li comprava nei magazzini all'ingrosso dove prendeva tutto per il bar. L'astuccio era fatto da mia madre con dei vecchi jeans.

Vivevo la mia condizione e quella della mia famiglia come una malattia, una punizione divina, tanto che una domenica, quando don Luigi ci ha parlato di Ponzio Pilato che aveva detto la frase "me ne lavo le mani", ho pensato che Dio avesse fatto lo stesso con la mia famiglia.

In quegli anni indossavo sempre vestiti che erano già stati di altri: cugini, vicini di casa, figli di amici. Una domenica pomeriggio siamo andati a mangiare da mia zia, la sorella di mia madre. Quando mio cugino, di due anni più grande, mi ha visto entrare, ha riconosciuto il maglione che indossavo. Era stato suo e, come tutti i bambini che nemmeno ricordano una cosa ma quando la vedono in mano ad altri la rivogliono, ha iniziato a urlare: «Ridammelo, è mio!».

Ha iniziato a tirarmi per il maglione, tentando di sfilarmelo.

«Ridammelo, ridammelo... Ladro, ladro!»

Io non sapevo che era stato suo, per questo continuavo a non capire. Alla fine sono tornato a casa senza maglione. Però non ho pianto. Non come quella
volta che sempre lui, mio cugino, mi aveva detto che
ero stato adottato e che mia madre non era la mia
vera mamma. Quella volta sì che ho pianto tanto.

In macchina, tornando a casa senza maglione, per
vendicarmi di mio cugino ho rotto una promessa che
gli avevo fatto. Ho detto a mia madre che lui stacca-
va gli adesivi dai quadrati dal cubo magico per poi
riattaccarli e fare correttamente tutte e sei le facciate.
E ho aggiunto: «Quando me ne sono accorto, lui mi
ha fatto promettere che non lo avrei detto a nessuno e adesso invece lo dico». Poi però mi sono sentito in colpa per non aver mantenuto la parola data.

Anche le mie scarpe spesso erano usate e sempre
più grandi del mio numero. Persino le poche volte
che andavamo a comprarle nuove, me le prendevano un paio di numeri in più. Il commesso, per vedere se calzavano bene, schiacciava la punta con il
pollice; se rimaneva la forma per qualche secondo,
diceva: «Meglio un numero in meno...».

«No, vanno bene queste» rispondeva sempre mia
madre.

Ho dovuto perdere subito la brutta abitudine di
frenare in bicicletta con le punte dei piedi. Mi piaceva
così tanto fare la discesa dei garage in bici con i piedi
puntati a terra. Comunque anche senza quel brutto
vizio le mie scarpe, che non erano di grande qualità, si consumavano subito. Solitamente si scollavano davanti. Ricordo scarpe aperte che sembravano
delle bocche con quelle suole penzolanti. Allora mio

padre ci metteva della colla e poi le infilava sotto la gamba del tavolo o della credenza per tenerle pressate finché la colla non attaccava bene. Un giorno, ero già adolescente, con le scarpe da ginnastica bianche sono andato in un centro sportivo dove c'erano dei campi da tennis. Senza farmi vedere da nessuno ho sporcato le scarpe nuove di pacca con il rosso della polve.e dei campi. Avevo notato che tutti i ragazzi ricchi giocavano a tennis e avevano le scarpe da ginnastica sporche di terra rossa.

Mia madre era brava anche a fare la spesa e risparmiava su tutto. Con il bar noi già riuscivamo ad acquistare molti alimenti a prezzi inferiori. Avere il bar, infatti, significava avere barattoli grandi di tutto. Tutto era in formato gigante. Il tonno preso dal rappresentante era da cinque chili. La maionese era praticamente in un secchio. E così era per sottaceti, insaccati, formaggi. Il mondo per me era sempre in dimensioni esagerate.

Dopo Natale si mangiava panettone per settimane perché erano in offerta, tre al prezzo di uno. I vantaggi del bar non erano solamente nei prezzi. Per esempio io tenevo quasi tutto ciò che si vinceva con i punti dei prodotti: la tuta rossa da ginnastica, la radio a forma di mulino, le macchinine da corsa nella scatola dell'uovo di Pasqua

Quando mi accompagnavano a scuola, chiedevo ai miei genitori di fermarsi lontano perché mi vergognavo della macchina, una vecchia Fiat 128. A quell'età io non mi rendevo conto se una macchina era bella o no. Per me era una macchina, ma erano gli altri, prendendomi in giro, a farmi notare la dif-

ferenza. Un giorno mia madre è venuta a prendermi a scuola a piedi, dicendo che il papà aveva fatto un piccolo incidente. Nulla di grave, aveva solo
tamponato un camion. Niente macchina per un po',
era dal carrozziere. Io ero contento.

La 128 di papà era bianca, ma quando è rispun-
tata aveva il cofano marrone. Visto che non c'erano soldi per i ricambi nuovi, il carrozziere ne aveva
preso uno da un autodemolitore; per mia sfortuna
non era dello stesso colore, e lui per risparmiare aveva rinunciato a riverniciarlo. Mia madre mi accom-
pagnava a scuola la mattina con la 128 bicolore e io
durante il tragitto pian piano scivolavo dal sedile;
quando arrivavo davanti alla scuola, praticamente
ero sdraiato sui tappetini.

Una volta sono uscito da scuola con i miei compagni e ho fatto finta di non vederla che mi stava
aspettando in auto. Mi sono avviato verso casa e
dopo poco ho sentito un colpo di clacson. Al primo non mi sono girato, al secondo sì e sono salito.
Però ero già dietro l'angolo della scuola e nessuno
mi aveva visto.

Fortunatamente dopo un po' mio padre ha preso
una macchina nuova. Non era molto più bella, ma
almeno era di un colore solo. Una Fiat Panda. Massimo rispetto per quella macchina: partiva sempre.

5
Basta una telefonata

Quando devo fare la spesa in fretta vado al supermercato. Entro e senza nemmeno fermarmi afferro
il cestello all'ingresso. Se le cose di cui ho bisogno
sono tante, ne prendo due. Non uso mai il carrello.
Sono veloce. Se devo comprare qualcosa al bancone della salumeria, vado subito a prendere il biglietto e in base a quante persone ci sono prima di
me mi muovo nel supermercato. A volte quando è il
mio turno ho già finito di fare i miei giri tra le corsie.
Non guardo mai i prezzi. Prendo sempre le stesse cose e se sono aumentate non lo noto. Gli stessi
biscotti, la stessa pasta, sempre lo stesso tonno: nel
fare la spesa sono monotono. Della possibilità di
prendere cose diverse, me ne accorgo solamente se
vado in un supermercato che non è il mio solito. Ma
è una cosa pericolosa da fare perché, se compro un
prodotto nuovo che mi piace e nel mio supermercato non c'è, poi mi tocca tornare dove l'ho preso.
Così ci sono giorni che faccio due spese.
Quando non ho fretta, invece, preferisco comprare la frutta, la verdura e la carne nei negozi. Il mio

fruttivendolo è un signore sulla sessantina che fa questo mestiere da sempre. Tiene la penna infilata sull'orecchio, ormai per abitudine perché i conti li fa con il registratore di cassa. Ha iniziato così e mi ha detto che per lui toglierla sarebbe come togliersi i pantaloni da lavoro.

Qualche giorno fa avevo fretta e poche cose da comprare. Ho preso un cestello al volo al supermercato e sono passato a ritirare il numero dal bancone della gastronomia. Trentasette.

«Serviamo il numero trentatré.»

Decido di andare a prendere le altre cose. Quattro numeri mi sarebbero bastati per prendere tutto quello che mi serviva.

Uscendo dalle corsie buttavo l'occhio sul display per vedere se era ora di tornare alla base o se potevo continuare. Davanti al frigorifero dei latticini, mentre stavo per prendere lo yogurt, mi è squillato il cellulare. Era mia madre.

«Ciao, mamma.»

«Ciao, ti disturbo?»

«No, sto facendo la spesa.»

«Bravo.»

«Come state?»

«Bene... bene...»

La sua voce mi sembrava strana.

«È successo qualcosa? Hai una voce strana...»

«No... ma devo dirti una cosa, ascoltami.»

Quando mia madre dice "ascoltami" significa che è successo qualcosa; come quando mi dice "ti trovo bene" e intende che sono ingrassato.

«Che c'è?»

«Non devi preoccuparti, però ascoltami bene. È una cosa che riguarda il papà.»

«Cosa gli è successo?»

«Senti, magari non è niente. Settimana scorsa è andato a fare degli esami, dei controlli, e facendogli una radiografia gli hanno trovato una cosa... allora hanno deciso di fargli una TAC e una biopsia per vedere di cosa si tratta. Hai capito?»

«Ma è una cosa brutta?»

«Non si sa, per questo hanno deciso di fargli questi controlli, per vedere che cos'è... hai capito?»

«Certo che ho capito... quando glieli fanno tutti questi esami?»

«Li ha già fatti venerdì scorso...»

«Come li ha già fatti? Perché io lo so solo adesso? Perché non me l'avete detto?»

«Non volevamo farti preoccupare, magari non è niente. Abbiamo pensato di non dirtelo finché non avevamo gli esiti e sapevamo esattamente cos'era. Era inutile metterti in agitazione per niente...»

«Dovevate dirmelo ugualmente... e quando andate a ritirare gli esami?»

«Domani mattina, dobbiamo essere là alle nove.»

«Può essere anche una cosa grave?»

«Beh... un po' sì.»

«Cosa vuol dire "un po' sì"... cos'è?»

«Dipende. Hanno trovato una cosa che si chiama nodulo polmonare e potrebbe essere... aspetta che ho qui il foglio che mi sono fatta scrivere dal dottore perché non voglio dire cose sbagliate... Ecco, lui dice che potrebbe essere o un adenocarcinoma o un carcinoma neoplastico. Nel secondo caso la cosa sarebbe seria. Dovrebbe fare anche la chemio.»

«La chemio? Mamma, ma lo vedi che a non dirmi le cose per non preoccuparmi poi finisce che mi dici tutto in una volta al telefono, all'improvviso...»

«Lo so, abbiamo sbagliato, ma vedrai che andrà tutto bene...» La telefonata si è conclusa con lei che mi diceva: «Mi dispiace che te l'ho detto così. Vedrai che sarà una stupidata...».

Ho messo giù e sono rimasto con il cestello della spesa in mano fissando il nulla davanti a me. Solo dopo qualche minuto mi sono riapparsi tutti i vasetti di yogurt con la loro bella scadenza. Sentivo in lontananza dire "trentasette... trentasette", ma quando ho preso coscienza e ho capito dov'ero, al bancone dei salumi stavano già chiamando ad alta voce il trentotto. Ho appoggiato il cestello a terra e sono tornato a casa.

I miei genitori sono persone riservate, educate e rispettose. Anche con me Mia madre in particolare quando mi telefona mi chiede sempre se mi disturba e se posso parlare. A volte prima ancora che io abbia risposto alla sua domanda aggiunge: «Posso chiamarti un'altra volta altrimenti...».

Non vogliono mai crearmi preoccupazioni, ma questo loro modo di proteggermi a volte è eccessivo e alla fine, come in questo caso, vengo a sapere le cose tutte in una volta, senza la possibilità di fare un percorso, senza aver potuto elaborare nulla. Per questo cerco di spiegare loro che è meglio se mi tengono al corrente di quel che succede, soprattutto a loro due.

Una volta che ero a Cannes per lavoro, hanno ricoverato la sorella di mia madre. Un ricovero d'urgenza. Quando chiamavo a casa chiedevo sempre come stava la zia e mia madre rispondeva che non dovevo preoccuparmi, che era tutto a posto.

«Mi sembri preoccupata mamma, vuoi che torni? Hai bisogno?»

«No, ma sei matto? Stai lavorando. Tanto non puoi fare niente.»

Quando sono tornato a casa, dopo qualche giorno, mia madre mi ha detto che la zia era morta e che avevano già fatto il funerale.

I miei genitori sono persone semplici, non hanno mai preso un aereo, non lasciano la città dove vivono nemmeno per andare in vacanza. Il fatto che spesso mi sentono parlare inglese o mi vedono prendere aerei più volte di quanto loro prendano la macchina fa credere loro che io viva in un mondo lontano e diverso, dove non posso essere disturbato dalle loro piccole cose.

Dopo la telefonata di mia madre sono uscito dal supermercato senza comprare nulla e sono andato da Giulia. Quando ha aperto la porta e mi ha visto, ha pensato che stessi male. Ero pallido e sconvolto. Mi sono seduto sul divano e le ho raccontato della telefonata.

«Mi dispiace, ma stai tranquillo. Magari è solo un adenocarcinoma e, se non ci sono metastasi, lo possono operare. Gli rimuovono il nodulo e non deve fare neanche la chemio. Non è un'operazione complicata. Anche mio zio ha avuto una malattia del genere.»

«Oppure cosa può essere? Tu ci capisci qualcosa?»

«Dopo l'esperienza con mio zio un po' sì... vuoi la verità?»

«No... sì. Hanno detto a mia madre che potrebbe essere anche un'altra cosa di cui non ricordo il nome e che se così fosse dovrebbe fare la chemioterapia.»

«Carcinoma neoplastico.»

«Sì, quella cosa lì... Ma cosa succede se è proprio quello?»

Giulia ha fatto una faccia che non aveva bisogno di parole. Era dispiaciuta.

«Dimmelo, dài.»

«Se così fosse, ma non lo sappiamo ancora, non possono nemmeno operarlo. Dovrà fare la chemio, ma non ci sono molte speranze.»

«Cosa intendi per "non ci sono molte speranze"?»

«Se così fosse, come ti ho detto sarebbe la peggiore delle ipotesi... potrà vivere qualche mese. Però è inutile parlarne adesso. Prima bisogna sapere di cosa si tratta. Vedrai che è un adenocarcinoma. Con i noduli polmonari la maggior parte delle volte è così.»

«Ce l'hai un bicchiere di vino? Altrimenti vado a casa mia a prenderne uno...»

Mentre lei andava a prendere il vino sono rimasto sul divano a fissare il televisore spento. Vedevo la mia immagine sfumata e poco nitida riflessa nel vetro nero. Proprio come mi sentivo io.

6
Lei (che voleva un figlio)

Rubare è un po' alla base di qualsiasi lavoro creativo. Anch'io e Nicola lo facciamo. Si ruba da film, da canzoni, da conversazioni sentite mentre si è in coda al supermercato o su un treno. Come vampiri, i creativi succhiano il sangue da qualsiasi forma di vita. Sentono per caso una parola, una frase o un concetto e, come una lampadina che si accende, si accorgono che era proprio quello che stavano cercando. E non pensano che stanno rubando, pensano che sia semplicemente lì per loro. Per questo le parole di Jim Jarmusch sono la Bibbia per un creativo: "Il punto non è da dove prendete le cose, il punto è dove le portate".

Le nostre antenne sono sempre accese anche quando non lavoriamo. Io e Nicola, oltre che stare sempre attenti quando dobbiamo iniziare una nuova campagna pubblicitaria, abbiamo un metodo che ci aiuta molto: facciamo le classifiche. Serve a scaldarci. È il nostro *warm up*. Se per esempio dico: «Suoni e rumori che ci piacciono nella vita», Nicola prende la sua pallina antistress dalla scrivania e ci pensa un po'. Poi mi dice il suo elenco:

«Il cigolio del cancello di casa quand'ero piccolo, che non sento più da anni.

«Il rumore della catena della bici quando muovevo i pedali all'indietro.

«Il suono della pioggia, soprattutto quando al mattino sei ancora a letto e capisci che piove dal rumore delle macchine che passano e sembrano onde.

«Il borbottio della moka quando sale il caffè.

«Lo sfrigolio che fa il soffritto quando butti la cipolla.

«Il tintinnare delle chiavi che qualcuno che stai aspettando infila nella toppa per entrare in casa.

«Il rumore delle tazzine al bar.»

Oltre ad attivare il cervello e la fantasia, magari da una lista di cose così ne esce una su cui lavoriamo e diventa una campagna. Succede spesso, tranne che con la classifica delle cose volgari che ogni tanto Nicola propone: quelle ce le teniamo per noi, solo per il nostro divertimento.

Da una classifica dal titolo *Cose belle che hai visto*, Nicola nell'elenco aveva messo i bambini che camminano con i trolley piccolini negli aeroporti. Questa immagine qualche tempo fa è diventata una nostra campagna pubblicitaria.

Nicola è uno che quando dice una cosa la fa. Mi aveva promesso un elenco di buoni motivi per cui è meglio fare l'amore subito con una donna. E infatti, dopo pochi giorni, me lo ha detto:

«Per poter girare nudi in casa con l'altra persona presente senza doversi mettere un asciugamano se si esce dalla doccia.

«Per bere direttamente dal collo della bottiglia

senza doversi giustificare con frasi tipo: "Ce n'era poca, la finisco".

«Per poter decidere se è meglio diventare solo amici.

«Per smettere di essere gentili anche quando non se ne ha voglia.

«Se c'è in programma una cena, meglio farlo prima (a stomaco vuoto si fa l'amore meglio e dopo il sesso si mangia con più gusto. E poi fare l'amore dopo cena è un cliché).

«Per smettere di guardarle la scollatura quando parla.

«Per capire se dal giorno dopo ci saranno ancora telefonate.»

Mi ha anche detto una versione al femminile: così lei, all'amica alla quale ha letto tutti gli sms che lui le ha mandato nei giorni precedenti, può finalmente raccontare qualcosa di interessante, scendendo nei particolari. Perché le donne vogliono i dettagli.

Quando ha poi finito, Nicola ha commentato: «Per noi uomini è più facile. Tra uomini la domanda è: "L'hai scopata?". Tra donne, invece: "Ma secondo te ti richiama?"».

Il giorno dopo ne abbiamo parlato con Giulia, ma lei sulla domanda delle donne non era d'accordo. Sosteneva che dipende molto dalle donne, e soprattutto dall'età. Secondo lei le nuove generazioni sono più vicine alla domanda che Nicola attribuisce agli uomini. Trovandola, come dice lei, "disgustosa".

Mi diverte sempre molto il rapporto tra Nicola e Giulia. Lei è riservata, discreta, con punte anche di raffinatezza; Nicola quando c'è lei diventa ancora più spinto e volgare perché si diverte a provocarla. Entra nei dettagli, quelli che a volte sono troppo anche per me. Ma mi fa ridere molto.

L'altro giorno Giulia ha chiesto se avevo della crema per le mani: le ho detto che poteva trovarla in bagno. Tornando, mentre si sfregava le mani ha detto: «Il profumo della Nivea mi ricorda l'estate».

E Nicola, di rimando: «A me i rapporti anali... Non guardarmi così, a volte l'ho usata perché non avevo altro. Pensa che quando sento l'odore della Nivea mi viene un'erezione. È un riflesso condizionato, come i cani di Pavlov».

La faccia disgustata di Giulia si è fissata nella mia memoria per sempre.

A Nicola piace un sacco provocare, molestare, infastidire. Anche quando ho conosciuto lei, la donna che mi ha lasciato e che tra un mese e mezzo si sposa, lui mi ha chiesto subito se me l'ero scopata e abbiamo anche avuto un mezzo battibecco perché a me non andava di parlarne. In generale di lei ho sempre parlato poco. Non so perché. Così come non ho mai capito perché mi manca così tanto, dato che nell'ultimo periodo passato insieme soffrivo molto.

È stata la mia storia d'amore più importante. Abbiamo anche convissuto e abbiamo capito che la convivenza in realtà peggiorava le nostre vite, la nostra storia e persino noi. Da conviventi eravamo persone peggiori. Ed è straordinario il fatto che siamo riusciti a dircelo, che siamo riusciti a capire e a confessarci una realtà così delicata. Invece di mentire per non ferirci, abbiamo scelto di parlarne. Avremmo dovuto mentire entrambi. C'è chi lo fa: a tutti e due non va bene, ma nessuno dice niente.

Potevamo permetterci di avere due case e così stavamo quasi per abbandonare la convivenza per salvare la nostra storia; ma, mentre ci stavamo preparando senza fretta, ci siamo lasciati del tutto.

Per la precisione, lei ha lasciato me.

È che a volte ci venivano dei dubbi. È normale, immagino. Tutti i nostri amici vivevano insieme, solo noi eravamo diversi. Questo ci turbava, anche se eravamo convinti che alcuni di loro più che amarsi si sopportassero.

In realtà le nostre crisi, le nostre incertezze, sono venute a galla quando abbiamo iniziato a parlare di figli. Si può, infatti, fare un figlio e vivere in due case separate? Perché stare insieme senza figli e vivere in case diverse per noi era la soluzione ideale, ma con un figlio?

Attimi di solitudine e momenti senza l'altro per noi erano fondamentali. Ci rendevano più completi, ci miglioravano. Se guardavamo i nostri amici, non li vedevamo particolarmente soddisfatti. Non dico felici, che magari è troppo, ma nemmeno soddisfatti. Tutti ci dicevano che la loro gioia erano i figli. L'unica cosa bella. Un po' come se la relazione fosse il prezzo da pagare per la riproduzione.

Chi aveva figli ci diceva che noi non capivamo. Spesso erano persone piene di paure, paranoie e stupidità, ma dopo qualche mese dalla nascita di un figlio diventavano improvvisamente sagge, dei maestri di vita. Per qualsiasi cosa, in qualsiasi occasione, ti guardavano dall'alto al basso e dicevano: 'Finché non hai un figlio non puoi capire".

Io e lei di questa frase ridevamo sempre. Ci divertiva vedere come erano entrati nella parte, come recitavano bene il ruolo, tanto che usavamo la frase per tutto, come un tormentone: "Vuoi un bicchiere d'acqua?".

"Sì, grazie."

"Certo che finché non hai un figlio non puoi capire quanto sia importante bere "

Amici diventati migliori come persone dopo il matrimonio non ne conoscevamo. Il loro più che amore era compromesso, più che desiderio dovere, più che dialogo era "lasciamo stare". Erano più quelli che stavano insieme per i figli o per paura della solitudine di quelli che veramente lo desideravano.

Alla fine abbiamo deciso di provarci comunque. Stavamo quasi per rompere la nostra convivenza per prepararci ad avere un figlio quando io non sono stato all'altezza e sono crollato.

Non mi sentivo pronto a diventare padre.

La mia vita è stata faticosa, diciamo che ho sempre lavorato tanto e pensato poco a me stesso, a quali fossero i miei desideri. Con un figlio avevo paura di ricominciare tutto da capo. Fare un figlio mi dava la sensazione di aggiungere altro lavoro e altre responsabilità a quelle che già avevo. E poi come potevo desiderare un figlio se stavo ancora desiderando un padre?

Lei voleva un figlio proprio nel periodo in cui io invece avevo voglia di vaghezza e di levità. E pensare che all'inizio, appena ci siamo messi insieme, io lo avrei fatto anche subito, non perché ci avessi rifletto-to e mi sentissi pronto, ma proprio perché ero preso da una follia e non ci avevo pensato veramente. Solo così avrei potuto fare un figlio: trasportato da quel primo periodo di innamoramento folle. Lei, giusta-mente, ha ritenuto che fosse meglio aspettare un po' per vedere come andavano le cose; io poi, ritorna-to con i piedi per terra, non me la sono più sentita.

A dire la verità, penso che lei se ne sia andata non solo perché non volevo avere un figlio, ma soprat-tutto perché non mi lasciavo amare.

7
Un solco di rabbia

Terminata la terza media, ho pensato che sarebbe stato meglio non continuare gli studi e lavorare al bar con mio padre. La decisione era stata anche condizionata dal fatto che mi angosciava far spendere ancora soldi per i libri e tutto il resto per altri cinque anni. Non me la sono sentita.

Ho scelto di andare al bar, almeno io avevo quella possibilità. Tra l'altro, se avessi lavorato con i miei genitori, sarei costato meno di un dipendente. Mi sembrava già tutto stabilito: un giorno il bar sarebbe stato mio.

Lavorando con loro mi sono reso veramente conto delle condizioni in cui eravamo. Mio padre cercava sempre di tenerci fuori da tutti i suoi problemi economici, e tante cose non ce le diceva. Mia madre non indagava più di tanto, si fidava, lo amava. Anch'io gli volevo bene, ma volevo sapere. Controllavo, mi informavo. E venivo a sapere.

Eravamo sotterrati dalle cambiali. In casa e al bar, in ogni cassetto che si apriva c'era una cambiale da pagare o, in alcuni rari casi, già pagata.

Quando non si riusciva a pagarle alla scadenza, per tre giorni finivano dal notaio, dove si potevano ancora pagare aggiungendo delle spese. Se non lo si faceva entro quei tre giorni, bisognava andare in tribunale, dove per un paio di giorni era possibile fare la cancellazione dai protesti, in marca da bollo e foglio di protocollo. Costava molto farlo e c'era tutto un papiro da scrivere. Un giorno per compilare la richiesta mi sono appoggiato a un tavolo finché un impiegato alla cancelleria, un uomo piccolo con i capelli rossi, mi ha detto: «Non puoi appoggiarti, il tavolo non è qui per te e per i tuoi comodi, devi portare rispetto».

Con un gesto automatico ho abbassato la testa a mo' di inchino e mi sono scusato. Sono uscito e per scrivere mi sono appoggiato a una panca. Ero scomodo e allora mi sono messo in ginocchio. Quel gesto in quegli anni l'ho ripetuto così tante volte che le parole mi sono rimaste in mente come una preghiera: "Alla cortese attenzione della Signoria Vostra Illustrissima, io sottoscritto...".

A conclusione della richiesta bisognava scrivere: "Con la Massima Osservanza". Mi ricordo bene il finale perché un giorno ho dovuto ricomprare un foglio di protocollo nuovo e riscrivere tutto dopo aver fatto un errore. Per fortuna non avevo ancora incollato le marche da bollo. L'errore era gravissimo: avevo scritto le parole "massima" e "osservanza" in minuscolo.

Quanto darei per avere una fotografia di me in ginocchio mentre scrivevo quelle parole: "Signoria Vostra Illustrissima...". Avrei dovuto aggiungere: "Santissimo Savonarola".

Ricordo le situazioni imbarazzanti e umilianti che abbiamo vissuto, tutte le persone sgradevoli, maleducate, arroganti e presuntuose che ho incontrato. Gente abituata a essere forte con i deboli e debole con i forti.

Ricordo mio padre quando al mattino aspettava i rappresentanti ai quali doveva dei soldi e invece raccontava sempre la solita filastrocca: che i soldi non c'erano e che dovevano ripassare. Una delle prime volte, mentre parlava con uno di loro, non so perché si è voltato verso di me che lo stavo fissando, e ho provato imbarazzo per lui. Da allora quando veniva un rappresentante spesso mi allontanavo.

Quante volte sono stato in piedi con mia madre alla cassa per poter prendere i soldi mancanti e correre subito a pagare prima che la banca chiudesse. A volte ne mancavano pochissimi, ma avevamo già svuotato tutte le tasche, controllato in ogni cappotto negli armadi, chiesto ad amici. Ad alcuni amici non potevamo chiedere altri soldi perché dovevamo ancora restituire quelli prestati prima, per cui era meglio lasciar stare. Che vita: tutto di corsa, con l'ansia, con il cuore in gola per cifre ridicole. Un giorno mancavano ventisettemila lire e speravamo che ogni cliente che entrava non volesse prendere solo un caffè, ma un toast, un panino, una birra. Qualsiasi cosa che costasse un po' di più.

Una volta, dopo aver raggranellato i soldi, li ho messi in un sacchetto di carta, ho preso la bicicletta e sono andato di corsa a pagare. Ho rischiato di essere investito almeno un paio di volte. Arrivato in tribunale con il fiatone, mi sono presentato davanti all'ufficiale giudiziario spiegando che ero lì per pagare una cambiale. Era un signore sulla sessantina, alto poco più di un metro e un pisello, che mi ha guardato e ha detto: «È inutile correre adesso a pagare: non bisogna firmarle prima se non si hanno i soldi».

Poi ha preso il sacchetto e ha iniziato a contarli, mettendoli in ordine.

«La prossima volta portali in ordine, tutti girati dallo stesso lato.»

Io avrei voluto prendere una sedia e spaccargliela in testa. Non lo sapevo, ma stavo imparando, giorno dopo giorno, che io appartenevo alla categoria di persone che devono stare zitte e mandare giù rospi grandi come i frigobar delle camere d'albergo. Mi stava spiegando chi erano loro e chi ero io. Mi stava insegnando come si sta al mondo. Quelli erano i miei veri corsi di formazione. I miei master.

Non potevo rispondere a tono perché magari la volta dopo sarei arrivato in ritardo anche solo di un minuto o due e lui avrebbe potuto dirmi che non facevo più in tempo. Invece, se ti comportavi bene, magari ti faceva la cortesia di chiudere un occhio. E dovevi anche ringraziare per la gentilezza che ti aveva usato, anche se lui non tardava certo a fartelo notare: «Per questa volta sarò gentile, ma che non diventi un'abitudine».

Imparare a restare in silenzio e tenere la testa bassa: questa è la vera politica sociale.

Un giorno ho portato i soldi a un notaio per una cambiale non pagata. Lui ha rovesciato il sacchetto con i soldi sulla scrivania e ha protestato: «Cos'è tutta questa brodaglia?».

«Sono i soldi che ho portato per la cambiale scaduta che non siamo riusciti a pagare in tempo.»

«La prossima volta portali di taglio più grosso, non possiamo mica passare un pomeriggio a contarli.»

"Dovresti passare il pomeriggio a ciucciarmi le palle, pezzo di merda" ho pensato, e avrei distrutto volentieri un'altra sedia su quella sua faccia abbronzata. Avrei staccato il quadretto dei Lions che stava all'ingresso e gliel'avrei fatto mangiare, chiaramente a pezzi grossi per non fargli perdere un pomeriggio a masticare. Lui che era il risultato di quelle vite sterili, piene di ipocrisia come le loro aste di beneficenza natalizie o la necessità di mettere la targhetta bene in vista su un'ambulanza o qualsiasi altra cosa donata da loro. Un uomo schiavo del desiderio di appartenenza e della generosità ostentata. Che eleganza.

Quelle erano le mie fantasie: spaccare le sedie sulla testa di certa gente. La mia realtà, però, era un'altra. Infatti, anche quella volta ho abbassato lo sguardo e ho detto a bassa voce: «Va bene, mi scusi». Ormai era un riflesso automatico, non ci pensavo nemmeno più. Quel notaio era solamente un'altra persona che mi stava dando una lezione di vita.

Imparavo a reprimere la rabbia e questo mi aiutava in molte cose, soprattutto a pulire bene il pavimento del bar. A grattare e togliere le macchie, scrostare a fondo, sfregare accuratamente negli angoli, a volte anche con l'unghia del pollice, se era il caso. Persino il cesso dove andavano i clienti, quelli che spesso nemmeno tiravano lo sciacquone. Perché quello ero destinato a fare nella vita. E dovevo ringraziare che il bar era di mio padre e che avevo trovato facilmente un posto di lavoro.

Il bar apriva alle sette. Mio padre scendeva alle cinque e mezzo, io più o meno un'ora dopo. Facevamo noi i cornetti, le pizzette, i panini imbottiti. Spesso dopo la sveglia mi riaddormentavo a letto. Non mi sembrava vero che fosse già mattino, mi sembrava di essere appena andato a dormire. Speravo in un errore, speravo di averla caricata male. Allora mio padre, quando non mi vedeva scendere, telefonava a casa; veniva mia madre in camera e mi diceva: «Lorenzo, ti sei addormentato. Svegliati...».

Mi alzavo di scatto e in due minuti ero giù. Dopo le nove arrivavano le telefonate delle tre banche. Ne avevamo più di una, perché tre banche significavano tre conti correnti, quindi più blocchetti degli assegni. Mio padre poi è stato protestato e per cinque anni non ha potuto aprire un conto corrente. Fortunatamente sono diventato maggiorenne e subito ne ho aperto uno io. Fino a che, un giorno, il direttore mi ha convocato nel suo ufficio, dove mi ha tagliato la carta di credito e si è fatto riconsegnare il blocchetto degli assegni. Sono uscito dalla banca che mi sentivo un lebbroso.

Avere più di un conto corrente è indispensabile per chi non ha soldi. Quasi sempre si pagava facendo assegni postdatati. O "assegni missile", come si chiamano in gergo. Erano contro la legge, ma l'illegalità spesso è l'unica via d'uscita per certa gente. Non si esce dalle regole per diventare più ricchi, bensì per sopravvivere. In casa eravamo diventati veri esperti su come guadagnare tempo con gli assegni postdatati: cercare il più possibile di farli il venerdì, di pomeriggio però, perché le banche erano chiuse e avevamo a disposizione l'incasso del sabato; oppure scrivere una città diversa nell'intestazione, quella che sugli assegni viene richiesta come "piazza". Bastava mettere una città diversa da quella della banca e l'assegno girava qualche giorno prima di essere incassato.

Una volta mio padre mi ha accompagnato in macchina a portare il bussolotto per il deposito in banca dopo la chiusura del bar. Quando ho aperto lo sportello, dentro ne ho trovato uno che non era caduto nella buca. L'ho aperto, era pieno di soldi. L'ho preso e l'ho portato in macchina.

«Ho trovato questo, è pieno di soldi.»

Mio padre l'ha guardato e dopo un secondo di silenzio mi ha detto: «Chiudilo bene, ributtalo dentro e assicurati che questa volta cada».

Questo è mio padre: anche nei momenti più difficili l'onestà e il rispetto vengono prima di tutto. Io ero un ragazzino e facevo fatica a capire certe cose. Lui mi insegnava questi valori ed era pieno di problemi, mentre le persone arroganti e maleducate che mi trattavano senza rispetto erano sempre vincenti e ammirate da tutti. A me sembrava un'ingiustizia. Non capivo, ero confuso. Avevo il dubbio che ciò che mi stava insegnando la mia famiglia non fosse poi molto conveniente nella vita.

I nuovi rappresentanti che venivano a proporre i loro prodotti al bar si informavano se mio padre fosse una persona che pagava. Tutti confermavano che mio padre faceva fatica e non pagava quasi mai alle scadenze, ma che sicuramente avrebbe saldato i suoi debiti.

Un ispettore dell'ufficio d'igiene una mattina è entrato nel bar a fare dei controlli. L'anno prima era venuto e ci aveva fatto fare delle "piccole modifiche", come le aveva definite lui. Il lavandino nella stanza sul retro, dove facevamo i panini o preparavamo le insalate, doveva essere in acciaio e il rubinetto doveva avere l'apertura e la chiusura a gomito. Si tratta di un rubinetto con un'asta lunga che si può aprire e chiudere con un gomito, come fanno i chirurghi prima di entrare in sala operatoria. E nel bagno il water andava cambiato e sostituito con la turca. Per noi spese improvvise. Per lui niente, "sciocchezze", come aveva detto prima di andare via.

Quando è tornato l'anno dopo ha detto che i rubinetti a gomito non andavano bene e bisognava metterli a pedale, anche in bagno, e che forse la turca non era una cosa necessaria da mettere.

«Ma ci sta prendendo per il culo? È stato lei l'anno scorso a farci cambiare tutto!» ho urlato.

«Come ti permetti, ragazzino?»

Mio padre mi ha bloccato, mi ha detto "vai via" e si è subito scusato con lui. Io mi sono tolto il grembiule e sono corso ai giardinetti, dopo aver preso a calci e pugni un cassonetto dell'immondizia per strada. Quando sono tornato al bar, mio padre mi ha fatto un cazziatone che mi ricordo ancora oggi. Ma le parole che mi sono rimaste più impresse erano che nella vita dovevo imparare a "mandare giù". La sua ramanzina è finita con la frase: «Il pane dei padroni ha sette croste e sette crostoni. E quelli sono padroni». Poi ha aggiunto: «Ringrazia che non se l'è presa. Se quello si arrabbiava, ci faceva chiudere il bar. Sai cosa vuol dire?». Eravamo sempre ricattabili da tutti. Anche da uomini piccoli.

Una mattina abbiamo preso una multa da un ufficiale dell'annonaria pari a più della metà dell'incasso giornaliero per non aver esposto sulla porta gli orari di chiusura e di apertura.

Ero sempre più incazzato. Dentro di me si stava caricando una bomba a orologeria. Non ero mai stato così, ero sempre stato un ragazzo tranquillo e responsabile. Avevo una tale rabbia dentro in quegli anni... I miei sfoghi erano due: farmi le canne, che mi calmavano, e andare allo stadio la domenica.

Allo stadio i tifosi della squadra avversaria erano tutte le persone che durante la settimana mi rovinavano la vita: contro di loro gridavo di tutto, mi sfogavo insultandoli e minacciandoli. La tentazione di aggregarmi agli scontri era forte, ma è durata poco, alla fine non avevo il carattere adatto per la violenza e mi fermavo alle parole. Ma come mi sfogavo! Uscivo dallo stadio senza un filo di voce.

Tuttavia non ero come i ragazzi che incontravo allo stadio ogni domenica, mi sentivo diverso. Allora ho iniziato a seguire altri amici che andavano in discoteca. In quegli anni era esplosa la moda dei paninari e l'ho presa in pieno. Già era complicato prima, adesso tutto per me diventava ancora più difficile. Perfino le calze in quel periodo hanno iniziato ad avere un nome. Era chiaro che io un paio di Timberland o un Moncler non potevo nemmeno sognarmeli. Una volta sono andato in un negozio in periferia che aveva abiti di marca, ma con piccoli difetti. Ho preso un paio di jeans della Stone Island con una macchia sulla tasca. Erano comunque cari e non potevo permettermi nient'altro. In compenso avevo cinque paia di calze Burlington tarocche e un paio originali. Comprate senza dire ai miei quanto costavano. Ovviamente la domenica pomeriggio in discoteca mettevo quelle originali, finché Greta non ha capito e l'ha fatto notare a tutti dicendo: «Ma tu indossi sempre le stesse calze?». Tutti a ridere. La settimana dopo non sapevo se fosse più grave rimettere quelle o le taroccate. Alla fine non sono andato in discoteca. Non sono uscito di casa per colpa di un paio di calze: così ero messo. Una vita a vergognarmi.

Un giorno un amico del mio amico Carlo ha fatto la festa per i suoi diciotto anni. Carlo ha chiesto se poteva portare anche me e lui ha detto che la festa era in discoteca, che non c'erano problemi e potevo andarci anch'io. Era un ragazzo che tutti noi conoscevamo in città. Era bello, faceva judo a livello nazionale, piaceva un sacco alle ragazze ed era ricco. La sua famiglia era una delle più ricche della città. Io ci tenevo un sacco ad andare a quella festa. Non mi sembrava vero. Ma bisognava andarci "vestiti bene".

«Se non vuoi mettere la cravatta okay, ma almeno pantaloni e giacca. Niente jeans.»

Per me era come il ballo di Cenerentola. Non ricordo a chi ha chiesto i soldi mia madre, se a sua sorella o a qualche amica, comunque un pomeriggio io e lei siamo andati in un negozio enorme e abbiamo comprato una giacca, un paio di pantaloni e al posto della cravatta un Ascot; siamo riusciti anche a comprare una camicia.

Sono andato alla festa. Tutti i figli delle famiglie bene erano lì, e io con loro, nell'olimpo. Avevo il vestito nuovo, ma il problema non era quello, bensì le scarpe. Consumate, soprattutto sul lato esterno a causa della mia errata postura. Le scarpe svelavano la mia vera identità. Ma non solo le scarpe erano rivelatrici. C'era un'altra cosa, lo stesso problema che avrà avuto anche Cenerentola. Ho sempre pensato, infatti, che Cenerentola sarà pure andata al ballo con il vestito nuovo, i capelli con la piega perfetta, la scarpetta di cristallo, ma le mani... le sue mani saranno state sicuramente diverse da quelle delle altre dame presenti in sala. Cenerentola, come me, avrà avuto quelle di chi strizza lo straccio quando lava il pavimento, di chi pulisce il bagno e usa i detersivi. Le mie mani erano diverse da quelle dei miei amici, erano piene di tagli, graffi, calli.

In ogni caso io ero felice di essere a quella festa. Ero eccitato e parlavo con tutti, anche se nessuno mi filava più di tanto. Si vedeva subito che ero diverso. Loro si riconoscevano al volo: anche se non si erano mai visti prima, anche se uno veniva da un'altra città, avevano tutti lo stesso odore. Come ha il suo la povertà, quella che avevo scritta in faccia. In quel momento io, che ero tutto eccitato all'idea di essere lì con loro, mi sono sentito ferito e ho deciso di andarmene.

Mentre stavo uscendo, vicino all'ingresso, dove

c'era il guardaroba, ho conosciuto Sabrina. Lei non aveva notato la mia giacca, forse perché era completamente ubriaca; fatto sta che dopo due minuti siamo finiti in una stanza a baciarci. Dopo dieci secondi ovviamente ero già innamorato. Sono andato via dalla festa euforico.

Il giorno dopo è iniziata la caccia al numero. Sapevo solo che si chiamava Sabrina, nient'altro. Carlo mi ha detto che quella ragazza era famosa per aver fatto un pompino a due ragazzi contemporaneamente durante una festa. A me era sembrata così dolce che non riuscivo a crederci, non me la immaginavo proprio in ginocchio davanti a due ragazzi. Comunque grazie a lui ho recuperato il suo numero di casa. Ai tempi non c'era il cellulare. Il numero di casa voleva dire che quando chiamavi non era detto che rispondesse la persona che cercavi. Poteva rispondere il fratello, la madre o, peggio di tutti, il padre. Quel giorno non sapevo ancora che i suoi genitori erano separati e che il padre non abitava più con lei.

Ho telefonato e ha risposto la madre. «Buongiorno, sono Lorenzo. Posso parlare con Sabrina?»

«Un attimo. Sabrinaaaa... una telefonata per te, Lorenzo.»

Poi mi ha detto: «In questo momento non può, sta facendo la doccia. Lasciami il tuo numero, che ti richiama lei».

Una volta, quando non c'erano ancora i cellulari, se chiamavi qualcuno ed era in bagno, spesso si diceva che stava facendo la doccia per non dire cose meno eleganti. Invece adesso uno risponde anche se è seduto sulla tazza e se dall'altra parte ti chiedono che stai facendo puoi dire: "Sono in cucina che sistemo delle cose". Anche quando aspettavi una telefonata non è come adesso che con il telefonino in tasca te ne puoi andare anche fuori a cena. Prima, ai tempi in cui non c'era nemmeno il cordless, se quella telefonata la desideravi tanto, praticamente ti accampavi davanti al telefono di casa. Non andavi nemmeno in bagno per paura che chiamassero proprio in quei due minuti. Perché, se chiamava qualcuno, non è che poi potevi recuperare il numero della telefonata persa. Quando era persa era persa e iniziavi una serie di chiamate: "Scusa, eri tu al telefono?". E dire quella frase a una persona che ti piaceva sembrava subito una scusa.

Oltre alle lunghe attese passate quasi sempre scarabocchiando con la penna la guida telefonica o facendo il dente nero al sorriso di qualche attore o presentatore TV trovato su una rivista, la cosa brutta del telefono di casa era che dovevi parlare senza poterti allontanare. E spesso dovevi farlo di fronte a tutto il nucleo famigliare. Sognavi di avere quei telefoni dei film americani, in cui il filo era lungo una decina di metri. Infatti le persone che hanno vissuto in quegli anni appena avuto un cellulare iniziavano a camminare mentre parlavano e a fine telefonata li ritrovavi lontani chilometri. So di persone che stavano parlando al cellulare e si sono perse: c'è stato bisogno dell'intervento dei cani per ritrovarle.

Ho aspettato la telefonata di Sabrina con la paura che non richiamasse. Appena mi sono allontanato dal telefono, lei ha chiamato. Ha risposto mia madre, che mi ha subito avvisato: «C'è una persona per te».

La salivazione era a zero. La frase da dire l'avevo

preparata prima e ripetuta almeno venti volte per impararla a memoria. Al "pronto" mi sono scordato tutto. Anche perché lei mi aveva richiamato senza sapere chi fossi, visto che la prima cosa che ha detto è stata: «Chi sei?».

«Sono... Lorenzo. Non so se ti ricordi di me, ci siamo incontrati alla festa di Alberto. Cioè... ci siamo anche baciati.»

«Certo che mi ricordo.»

«Volevo chiederti se ti andava di vederti... cioè, di vederci ancora.»

«Certo. Più tardi se vuoi vado in centro e ci vediamo davanti al teatro verso le quattro, va bene?»

«Sì, sì...»

Non mi sembrava possibile. Ho spiegato a mio padre che quel pomeriggio dovevo andare via alle tre e mezzo e alle quattro in punto ero davanti al teatro.

Con Sabrina mi sono fidanzato. Siamo stati insieme quasi due settimane. Il primo pomeriggio che sono andato a casa sua avevo il terrore che a un certo punto spuntasse fuori qualcuno a ridermi in faccia, che fosse uno scherzo. Magari organizzato dagli stessi che avevano riso della mia giacca. C'ho messo quasi una settimana a fidarmi e capire che era tutto vero: circa metà della nostra storia. Insomma, non ero abituato a una cosa bella e mi insospettivo subito. Mentre la baciavo, a volte aprivo gli occhi per vedere dove fosse la fregatura. A me sembrava impossibile che dicessero quelle cose di lei. Era troppo bella e troppo gentile. Ho avuto anche la tentazione di chiederglielo, ma alla fine non ho avuto il coraggio e poi forse non volevo veramente sapere.

Però continuavo a domandarmi perché stesse con me. Ho anche pensato che forse lo faceva per dare un dispiacere ai suoi genitori. Soprattutto a suo padre, che se ne era andato di casa per la sua giovane segretaria. Come nel più classico dei luoghi comuni.

Poi, un giorno, io e il mio amico Alessandro ci siamo accorti di una strana coincidenza.

«Ciao Ale, come va?»

«Bene e tu?»

«Mi sono fidanzato.»

«Cazzo, ce l'hai fatta... Con chi?»

«Si chiama Sabrina.»

«Anche la mia ragazza si chiama Sabrina.»

«Abita al poggio.»

«Ah... anche la... mia!»

Quando mi ha detto il cognome non ci volevo credere. Eravamo fidanzati con la stessa ragazza. Siamo andati subito a una cabina telefonica e l'abbiamo chiamata.

«Ciao Sabri, sono qui con Alessandro e mi ha detto che stai anche con lui.»

Due secondi di silenzio, poi *tu-tu-tu-tu-tu-tu-tu-tu-tu*. Aveva messo giù.

Alessandro mi sembrava arrabbiato. Io ero distrutto. Se ci fosse una classifica delle donne che mi hanno fatto soffrire di più, Sabrina sarebbe ai primi posti, anche se stavamo insieme da poco più di dieci giorni. Ma la delusione è stata enorme. Quella è l'età in cui il cuore è ancora tenero e ci vuole poco per distruggerti.

Il giorno dopo mi ha chiamato al bar e mi ha chiesto di andare a casa sua. Ci sono andato. Sabrina mi ha chiesto scusa, dicendomi che, a differenza di Alessandro e di quelli prima di lui, io ero l'unico che la capiva. E che ero un ragazzo dolcissimo, diverso da tutti gli altri che volevano solo portarsela a letto. Infatti con Alessandro lo aveva fatto e con me no, perché io romanticamente passavo il tempo con lei a parlare e a prometterle amore eterno. Per farsi perdonare e convincermi a non lasciarla, ha provato a farmi un pompino. Io come uno stupido ho rifiutato, lei allora ha tirato fuori da un cassetto un maglione che mi aveva comprato. Quando l'ho visto mi è venuto un soffio al cuore. Era un maglione blu, sul davanti aveva dei rombi colorati. Era di Les Copains. Non era tanto il maglione in sé, ma quello che rappresentava. Era il maglione che avevano tutti quelli che non andavano la mattina a fare le cancellazioni delle cambiali, quelli che non avevano mai visto un direttore di banca incazzato, quelli che erano i figli di coloro che prendevano a calci in faccia me e mio padre, quelli che non avevano mai pulito un cesso in vita loro o strizzato uno straccio. Quelli che avrei dovuto odiare e invece invidiavo: io volevo essere uno di loro.

Lei lo sapeva e aveva giocato l'asso. Quel maglione ha messo in crisi la mia dignità. Ho detto che ci dovevo pensare... ma il maglione l'ho preso volentieri. Il pompino no, ma il maglione sì: ero proprio messo male.

Non sono più tornato con lei. Non ce l'ho fatta a perdonarla. Ma il maglione l'ho tenuto ugualmente. Come mi stava bene.

8
Lei (che è ritornata)

Il fatto che lei se ne sia andata perché non mi lascio amare mi ha spinto a una riflessione. A volte succede che amiamo una persona più per il bene che le abbiamo fatto che per quello che ha fatto a noi. Non lasciandomi amare, io le negavo questa possibilità.

Quando stavo con lei, spesso dicevo che avevo bisogno del mio spazio. Poi ho capito che era lei il solo spazio di cui avevo bisogno.

Lei mi ha lasciato due volte. Quattro mesi prima di quella definitiva, infatti, ci aveva già provato. Ricordo le sue parole prima di andarsene, a proposito delle mie paure: «La vita non è in garanzia. Non è una lavatrice che se si rompe qualcuno te la ripara. Se si rompe, si rompe. Puoi stare fuori dalla vita, costruendoti un mondo di certezze, ma è solo un'illusione. Non puoi farci niente».

Quando se ne è andata la prima volta, era già da un po' che entrambi avevamo capito che una fine era necessaria. Qualcosa doveva finire perché così non si poteva più proseguire. Io non sono stato capace di uccidere una parte di me e ho ucciso la nostra storia. Non sono stato capace di essere alla nostra altezza.

Dopo che è andata via io sono impazzito. Non ero più in grado di vivere senza di lei. Ho fatto di tutto per convincerla a tornare da me. Sono andato a comprare della vernice rossa e ho disegnato un cuore sul marciapiede davanti a casa sua. L'ho martellata di telefonate, di messaggini e di fax con disegni in ufficio. L'ho aspettata sotto casa, seduto su marciapiede, di fianco al cuore rosso. Le ho spedito fiori, anelli, matite colorate, bolle di sapone, e soprattutto certezze. Ho riempito di chiamate anche le sue amiche, anche a loro ho chiesto aiuto. Una volta sono stato tutta la notte sotto casa sua, completamente ubriaco, chiedendole di farmi salire, perché volevo fare un figlio con lei.

Alla fine l'ho convinta. Lei è ritornata.

I primi giorni sono stati come dovrebbe sempre essere. Non ho mai vissuto di così tanto amore. Fare l'amore, cenare, aspettarla a casa dopo il lavoro. Ho provato l'immensa gioia di amare essendo amato. Almeno così credevo.

Poi non ho retto, e lentamente tutto è tornato come prima.

Ce ne siamo accorti subito, lei ci ha voluto credere ancora un po', ma poi se n'è andata di nuovo.

Il giorno dell'addio, sulla porta di casa si è voltata, mi ha fissato per un istante con le lacrime agli occhi e mi ha detto: «Sai, Lorenzo, solo tu sei riuscito a farmi sentire così stupida. Ancora non mi sembra vero di essere tornata. La verità è che all'inizio della nostra storia è stato bello e intrigante giocare con la tua fantasia, il tuo modo di fare e di vivere. Pensavo che sarei riuscita a farti cambiare certe idee, ho avuto la stupida presunzione di pensare che sarei riuscita a farti diventare come tu meriti di essere. Forse ti ho idealizzato, sopravvalutato... Non so, non capisco più.

«In questi anni hai avuto per me attenzioni bellissime. Sei bravo in queste cose. Non parlo di quello che hai fatto per convincermi a tornare. Parlo di prima. Quando avevi tutte queste attenzioni nei miei riguardi pensavo che mi stessi amando, che solo una persona innamorata potesse fare certi gesti. Invece mi sbagliavo. Oppure no, non mi sbagliavo e per qualche minuto sei anche riuscito a essere veramente innamorato. Magari riesci ad amare e ad aprire la porta per qualche istante, ma poi la richiudi subito. Ho anche capito perché. Non per la paura che qualcuno possa entrare, ma per il terrore che tu possa uscire, che tu possa scappare.

«Non ti do nessuna colpa, Lorenzo, tu sei così. Sono io che ho sbagliato. Lo so, ho pensato che con me avresti potuto anche imparare ad amare. Invece non ne sei ancora capace se non per brevi istanti. Tu ti adatti, questa è la tua massima espressione d'amore. Perché pensi solo ai tuoi gesti, ti concentri su quello che fai, su quello a cui rinunci. E pensi che tutto ciò sia la prova del tuo amore. Tu le rinunce degli altri nemmeno le vedi. Credi che sia facile stare con te? Tu pensi di sì, perché non disturbi, non chiedi aiuto, non ti arrabbi mai, non litighi. Invece sappi che starti accanto è faticoso. Non sai quanti pensieri, quante attese, quante delusioni, quante lacrime e pianti. Tutti in silenzio. Non ti ho mai detto niente per non farti del male e perché conoscendoti una persona impara a non dirti nulla, perché sa già la tua risposta: "Se è faticoso stare con me, perché non vai via?". Tu hai schiacciato tutte le emozioni. Per questo non ti arrabbi, non perché sei equilibrato, ma semplicemente perché hai represso le emozioni: via l'amore, via la rabbia, tutto viene nascosto nel tuo lavoro. Lo sappiamo tutti che il tuo lavoro è importante, però per noi due è stato anche motivo di infiniti no. Cene non fatte, film non visti, concerti, passeggiate, fine settimana saltati all'ultimo momento... Tutto eliminato, schiacciato, cancellato. Come se lavorassi solo tu al mondo. Sei così preso da te stesso che nemmeno ti accorgi di tutto quello che una persona sopporta per stare con te. Guarda adesso, per esempio: me ne sto andando, ti sto lasciando e questa volta per sempre e tu non dici nulla come se la cosa non ti toccasse minimamente. Dimmi che sono un'egoista, una stronza che ti lascia invece di rimanere e accettarti così come sei. Grida, incazzati, fai qualcosa, invece di restare lì impalato...».

Era ferma sulla porta di casa con gli occhi lucidi. Mi stava implorando di non farla andare via. Questo mi stava chiedendo. Io sono riuscito solamente a dire: «Cosa vuoi che ti dica? Hai ragione e ti capisco».

Mi ha guardato con un'espressione di delusione e ha sibilato: «Vaffanculo».

E se ne è andata.

9
Un nuovo vicino di casa

Avevo poco più di quattordici anni, Roberto ne aveva circa trenta. Era seduto su uno scatolone di fronte al portone di casa e strimpellava una chitarra. Era il nostro primo incontro.

«Abiti qui?» mi ha chiesto.

«Sì, perché?»

«Da oggi anch'io abito qui. Sono il nuovo inquilino.»

«Ah, piacere: Lorenzo. Tu dovresti andare nell'appartamento libero al secondo piano, io abito alla porta a sinistra dopo la tua. Devi entrare?»

«No, sto aspettando un amico con gli altri scatoloni che abbiamo caricato sulla sua macchina. Ci vediamo uno di questi giorni...»

«Okay.»

Ci sono persone che, anche se non le conosci, ti danno subito l'idea che siano interessanti, e le senti immediatamente vicine. Roberto era così.

Il suo appartamento era di fianco al mio. Spesso la sera sentivo gente ridere, suonare, ascoltare musica. Mi incuriosiva tutto ciò che lo riguardava. Appoggiavo l'orecchio al muro, a volte provavo con un bicchiere, ma in seguito ho scoperto che si sentiva meglio con un piatto fondo, quello per la pasta. Non riuscivo a distinguere le parole, capivo però che si divertivano. Mi sarebbe piaciuto andare da loro, ma erano tutti ragazzi intorno alla trentina, praticamente il doppio dei miei anni, e non mi avrebbero nemmeno considerato. Anche se Roberto, ogni volta che lo incontravo sotto casa o sulle scale o quando veniva al bar, mi salutava, mi chiedeva sempre come stavo e rimaneva a parlare un po' con me. Non mi ha mai fatto un saluto di circostanza. Mi considerava, e io ero sempre contento di vederlo; a volte, se ero in casa e sentivo che apriva la sua porta, uscivo di corsa fingendo di scendere al bar. Mi accoglieva sempre con un sorriso. Il senso di libertà che trasmetteva era quello che sognavo per me: vivere da solo e fare quello che ti pare. Lui rappresentava il mondo fuori dalla mia famiglia e io ne ero affascinato.

Un giorno è venuto al bar e, invece di bere il caffè in piedi al bancone e andare via subito come faceva sempre, si è seduto.

«Sono rimasto chiuso fuori e sto aspettando un amico che ha il doppione delle chiavi. Pensavo di averle in tasca, invece, proprio quando la porta si chiudeva con un *clic*, il mio cervello ha visualizzato le chiavi sul tavolo della cucina. Merda.»

«Posso offrirti qualcosa?»

«Prendo una birra, grazie.»

Mi dispiaceva per lui, ma in realtà ero contento di vederlo e di poterci parlare un po'. Speravo che il suo amico arrivasse il più tardi possibile.

«Posso sedermi al tuo tavolo?»

«Certo, come no... Lavori qui tutti i giorni?»

«Tranne la domenica.»

«E ti piace?»

«Sì, insomma, non mi lamento... è un lavoro. Ci sono un po' di problemi, ma chi non ne ha?»

«Parli già come gli adulti... non vai più a scuola?»

«No, ho smesso dopo la terza media, meno di un anno fa.»

«Ti piace leggere?»

«Mica tanto. Non sono portato per lo studio e poi, sai, lavoro tutto il giorno e non ho molto tempo.»

«Quella del tempo è una scusa che usiamo sempre tutti. E che fai la sera quando non lavori?»

«Guardo la televisione con i miei o me ne vado in camera e la guardo da solo... Sì, lo so che vuoi dirmi che se guardo la televisione il tempo ce l'avrei, per leggere. Hai ragione, ma dopo aver lavorato tutto il giorno preferisco guardare la TV, non mi va di pensare. Ho voglia di distrarmi.»

«Hai ragione. Che musica ti piace?»

«Vasco. Mi piace Vasco Rossi. A te piace?»

«Sì... Se vuoi ho un sacco di dischi a casa e posso farteli sentire, così magari scopri anche dell'altra musica che potrebbe piacerti.»

«Per che squadra tifi?»

«Nessuna, non seguo il calcio. Ma quando ero piccolo ero tifoso del Milan perché lo era mio padre.»

«Anch'io tifo Milan. Domenica abbiamo perso, ma meritavamo di vincere. Quel gol a due minuti dalla fine...»

Di libri e musica non ne sapevo molto, ma se iniziavamo a parlare di calcio avrei fatto un figurone.

Potevo dire tutti risultati non solo del campionato in corso, ma anche di quelli precedenti, le formazioni e chi aveva segnato. In certi casi anche il minuto in cui era stato segnato un gol. Al bar i clienti non parlavano d'altro, soprattutto il lunedì. Il fatto che lui non seguisse il calcio mi aveva spiazzato, non sapevo che dire. Ho iniziato a provare una sensazione di disagio. Forse era per il fatto che aveva più del doppio della mia età, o forse perché ci tenevo particolarmente a fare bella figura con lui. Avevo l'ansia da prestazione.

In quel momento è arrivato il suo amico con le chiavi e mi ha salvato. Roberto ha dato l'ultima sorsata alla birra e si è alzato.

«Quanto ti devo?»

«Niente, ti ho detto che te la offrivo io.»

«Grazie allora... Stasera sono a casa da solo, se vuoi dopo cena puoi venire da me e scopriamo che musica ti piace.»

«Veramente?»

«Certo.»

Sarei andato da lui anche subito, invece ho cenato a casa e a tavola ho detto che dopo cena andavo dal vicino ad ascoltare un po' di musica. Non ci sono stati problemi perché Roberto era molto gentile e piaceva anche ai miei genitori. Era seduttivo, qualcosa di lui affascinava tutti.

Dopo cena ho bussato alla sua porta.

«Entra, entra...»

Posacenere pieni, copertine di dischi per terra, pantaloni e camicie buttate dappertutto. La serata, però, è stata indimenticabile. Il suo modo di parlarmi mi coinvolgeva, le sue parole erano piene di passione e non potevi non ascoltarlo e desiderare di far parte del suo mondo. Era il fratello maggiore perfetto, quello che non ho mai avuto. Conosceva un sacco di cose affascinanti e soprattutto aveva voglia di insegnarmele.

«Vuoi una birra?»

A me non piaceva la birra, ma ho risposto: «Sì, certo. Grazie».

Abbiamo chiacchierato un po', ha messo un disco dei Doors e ha iniziato a raccontarmi perché si chiamavano così. Il nome del gruppo, The Doors, era legato al discorso delle porte della percezione affrontato da William Blake. Dopo Blake ha iniziato a parlarmi di *Le porte della percezione*, il libro di Aldous Huxley che tratta delle esperienze con la mescalina. Mi ha spiegato che a questo scrittore, che io non sapevo nemmeno chi fosse, avevano diagnosticato un cancro alla laringe e lui aveva passato i suoi ultimi giorni a letto, incapace di parlare. Aveva scritto su un foglietto alla moglie che voleva un'iniezione di LSD ed era morto la mattina del giorno dopo, lo stesso giorno in cui è stato ucciso il presidente degli Stati Uniti d'America, John Fitzgerald Kennedy. Mi ha poi raccontato che Jim Morrison se ne stava spesso sul tetto di casa sua a Venice a scrivere e a leggere, quasi sempre sotto l'effetto di droghe.

«Te lo immagini Jim Morrison seduto sul tetto di casa a Venice Beach che guarda l'oceano e la gente per strada e scrive le sue poesie o legge in continuazione libri?»

Io non avevo la più pallida idea di chi fossero tutte quelle persone, e nemmeno dove fosse esattamente

Venice Beach. Un po' mi vergognavo della mia ignoranza, ma lui mi spiegava tutto.

Non so perché, ma io avevo sempre avuto la sensazione che i libri, il teatro, certa musica o certo cinema fossero per i ricchi. I libri e il teatro mi davano la stessa sensazione di quando vedevo una Mercedes o una villa con piscina: cose destinate a un altro tipo di persone.

Roberto, invece, che non sembrava un figlio di papà o un professore, mi stava coinvolgendo, parlandomi proprio di tutto ciò che avevo sempre considerato come distante da me. Lui era uno di noi, non sembrava uno di quegli intellettuali saccenti, non era un saputello presuntuoso quando parlava di libri, ma uno che li amava e che me li faceva sentire accessibili. Ogni argomento di cui mi parlava si collegava a un altro, poteva non finire mai.

A un certo punto mi ha detto: «Peccato che non ti piace leggere perché ci sono storie bellissime che ti appassionerebbero, ne sono certo. Ma non voglio romperti con questa storia dei libri, avrai le tue buone ragioni».

«Dimmi come mai è così importante leggere, secondo te. A cosa può servirmi la storia di uno che è vissuto anni prima di me in una città lontana migliaia di chilometri? Con tutti i problemi che ho, perché dovrei fare anche la fatica di leggere?»

«Se leggere per te è una fatica, fai bene a non farlo.»

«Leggere mi renderebbe una persona felice? Non credo, i problemi della vita non li risolvo certo leggendo, ma lavorando.»

«Hai ragione, spesso però la felicità e l'infelicità

sono legate anche agli strumenti che uno ha per affrontare le cose.»

«Sì, ma i miei problemi sono pratici, non di testa.»

«Ma è con la testa che li risolvi, a volte. Non voglio insistere, però sappi che leggere mette in moto tutto dentro di te: fantasia, emozioni, sentimenti. È un'apertura dei sensi verso il mondo, è un vedere e riconoscere cose che ti appartengono e che rischiano di non essere viste. Ci fa riscoprire l'anima delle cose. Leggere significa trovare le parole giuste, quelle perfette per esprimere ciò a cui non riuscivi a dare una forma. Trovare una descrizione a ciò che tu facevi fatica a riassumere.

«Nei libri le parole di altri risuonano come un'eco dentro di noi, perché c'erano già. È la conoscenza di cui parlava Platone, quella che già ci appartiene, che è dentro di noi. Non importa se il lettore è giovane o vecchio, se vive in una metropoli o in un villaggio sperduto nelle campagne. Così come è indifferente se l'argomento di cui sta leggendo riguarda un'epoca passata, il tempo presente o un futuro immaginario; il tempo è relativo, e ogni epoca ha la sua modernità. E poi leggere è bello, punto. Io a volte dopo aver letto un libro mi sento sazio, appagato, soddisfatto e provo un piacere fisico.»

Dopo questa lunga chiacchierata, abbiamo ascoltato altra musica parlando del più e del meno e dopo un po' me ne sono tornato a casa. Roberto quella sera mi era sembrato meno simpatico. Una parte di lui mi aveva messo a disagio, ma qualcosa continuava ad attrarmi.

A quella prima serata ne sono seguite molte altre.

Roberto continuava a parlarmi di libri, film e musica e alla fine a me non dispiaceva affrontare quegli argomenti. Lui era veramente come un fratello maggiore, che però avevo scelto.

Dopo circa un mese che lo frequentavo, gli ho chiesto se poteva prestarmi un libro.

«Certo, però devi restituirmelo. Non presto i miei libri a nessuno, ma per te faccio un'eccezione. Dobbiamo solo stare attenti al libro che scegli perché se non ti piace finisce che non ne leggerai altri.»

Siamo andati di fronte alla libreria. Leggevo i titoli e davanti a *Viaggio al termine della notte*, il libro che Jim Morrison leggeva sui tetti di Venice, ho deciso che volevo iniziare con quello.

Roberto mi ha detto che era meglio se aspettavo un po' per quel libro perché come inizio era tosto. «È come il caffè amaro. Ci vuole tempo per apprezzarlo se lo hai sempre bevuto dolce.»

Mi sono fidato di lui.

Anche la mia seconda scelta è stata azzardata. Lui, sorridendo, mi ha detto: «Questo è ancora peggio, ma sono contento perché significa che hai buon fiuto per i libri: ti sarà utile quando entrerai in libreria e non saprai cosa prendere».

Non era buon fiuto, avevo scelto l'*Ulisse* di Joyce solo perché ritenevo che, avendo studiato l'*Odissea* alle medie, sarei partito avvantaggiato. A quel punto gli ho chiesto di scegliere per me. Roberto ha preso *Sulla strada*, di Jack Kerouac.

Prima che uscissi da casa sua, mi ha detto: «Ho cambiato idea, non te lo presto».

«Ah... scusa, figurati...»

«Te lo regalo. E ti regalo anche una matita, così sottolinei ciò che ti piace.»

Sono uscito da casa sua con il libro e la matita in mano. Sono andato a letto e ho iniziato il mio primo viaggio tra le pagine di un libro. Il titolo era perfetto per rappresentare quello che stavo iniziando a fare. L'ho letto in due giorni e quando ho incontrato Roberto gli ho detto: «Ma questo non è un libro, questa è vita».

Lui ha sorriso.

«Me ne presti un altro?»

«Te lo compro. Vedrai che quando finisci di leggerli avrai il desiderio di tenerli con te e farai fatica a prestarli. E poi così sei libero di sottolinearli.»

Mi ha comprato *Le vie dei canti* di Bruce Chatwin. Un altro innamoramento.

Dopo poco tempo la lettura era diventata una droga. Leggevo continuamente, c'erano libri che finivo anche in una sola notte. A volte mi piaceva così tanto una storia che rallentavo, mi obbligavo a non andare oltre una certa pagina perché non volevo che finisse subito.

Dopo Kerouac e Chatwin sono passato a Huxley. Ricordo ancora le mie prime letture: *Chiedi alla polvere* di John Fante; tutti i libri di Charles Bukowski; *Moby Dick* di Herman Melville; *Ivanoe* di Walter Scott; *La luna e i falò* di Cesare Pavese; *Il deserto dei Tartari* di Dino Buzzati; *Fiesta* di Ernest Hemingway; *L'educazione sentimentale* di Gustave Flaubert; *Il processo* di Franz Kafka; *Le affinità elettive* e *I dolori del giovane Werther* di Goethe; *L'isola del tesoro* di Stevenson; *A sangue freddo* di Truman Capote; *Il ritratto di Dorian*

Gray di Oscar Wilde; *Opinioni di un clown* di Heinrich Böll; *Le città invisibili* di Italo Calvino; *Lettere luterane* di Pasolini. I libri di Dostoevskij mi hanno stravolto. Avevano un profumo di realtà che mi sconvolgeva. Le scale di quei palazzi, le taverne, le cucine: sentivo gli odori, sentivo freddo quando leggevo di passeggiate nella neve e caldo quando i personaggi mettevano le mani vicino a una stufa.

I miei amici, quelli che andavano a scuola, studiavano durante il giorno e nel tempo libero non avevano voglia di leggere. Spesso ciò che studiavano non li interessava, quindi finiva che, passato il periodo delle interrogazioni, non ricordavano quasi nulla. Anche all'università il problema era solo superare gli esami. Passavano anche tutta la notte sui libri nei giorni precedenti un esame, ma dopo una settimana nella maggior parte dei casi avevano dimenticato quasi tutto. Era come imbottirsi di cibo e poco dopo vomitare e sentirsi leggeri. Bulimia.

Per me era diverso. Non conoscevo l'obbligo dello studio, mi avvicinavo ai libri e sceglievo quelli che andavano bene per me, senza pensare a uno scopo finale, a un voto, ma solo per il semplice piacere di scoprire, di sapere. Era la curiosità che mi spingeva a leggere, non un dovere. Era la voglia di saperne di più, perché mi dava l'idea di crescere. Ho scoperto il puro piacere di incontrare i personaggi dei libri, di confrontarmi e addirittura misurarmi con loro. Il mio mondo interiore era intimamente legato al loro. Leggere di gente che viveva situazioni difficili, dure, anche peggiori della mia, mi alleggeriva e mi faceva sentire meno solo grazie a una sorta di umiliazione collettiva. Da qualche parte nel mondo c'erano altre persone come me. Mi sentivo meno abbandonato e soprattutto imparavo molte cose su di me che non conoscevo. Perché, anche se le storie erano inventate, il sentimento era reale e si capiva che lo scrittore sapeva cosa stava descrivendo. La mia vita si era riempita di persone nuove, che avevano il potere di cambiarmi lo stato d'animo, di suggerirmi pensieri nuovi e nuovi modi di essere e di sentire.

In casa mia di libri ce n'erano pochi. Gli scrittori erano degli sconosciuti per me, molti di loro i miei genitori non sapevano chi fossero. Il mondo era pieno di opportunità, ma con gli occhi della mia famiglia non le avrei mai viste. Per questo anche quando andavo a scuola per me era più difficile che per altri fare i compiti a casa. Soprattutto di inglese e matematica. Loro non potevano essermi d'aiuto. Che ne sapevano i miei di parentesi quadre o graffe? Quando chiedevo di aiutarmi a fare i compiti, le prime volte vedevo il dispiacere sui loro volti per l'impossibilità di farlo.

Avevo iniziato a leggere anche al bar, certo non il mattino, ma appena c'era un momento libero, soprattutto nel pomeriggio, mi sedevo a un tavolino e leggevo. Non era semplice, perché al bar c'era sempre qualcosa da fare. A volte, quando un libro mi coinvolgeva, non potevo aspettare fino a sera, allora lo nascondevo in bagno e ogni tanto mi chiudevo dentro per leggerne qualche pagina.

Oltre a tutti i nuovi nomi di scrittori, la mia vita si stava popolando anche di gruppi musicali, cantanti e musicisti. Roberto mi passava tutto: Sam Cook,

Chet Baker, Nancy Wilson, Sarah Vaughan, Muddy Waters, Bill Withers, Creedence Clearwater Revival, The Who, Janis Joplin, The Clash, AC/DC, Crosby & Nash, Dire Straits, The Doobie Brothers, Eric Clapton, Grand Funk Railroad, Iggy Pop, Led Zeppelin. Spesso mi traduceva i testi delle canzoni e mi faceva le cassette con quelle che più mi piacevano. Passava dal rock al pop, al jazz, al blues, al soul.

Una sera ho chiesto a Roberto: «Come hai fatto a conoscere tutte queste cose? Nel senso che tu le insegni a me, ma a te chi le ha insegnate?».

«È stato mio padre. Sono cresciuto ascoltando questa musica e sentendo da lui le storie che ti racconto. Per quanto riguarda i libri, invece, già da bambino me li leggeva la sera per farmi addormentare. Ho iniziato presto a leggere. A quindici anni, poi, ho cominciato a divorare libri come un pazzo, tanto che mia madre iniziò a preoccuparsi nel vedermi sempre chiuso in casa con un libro in mano e spesso mi diceva di smettere e di andare fuori a prendere un po' di aria fresca. Avevo una libreria in camera mia. Io prendevo i libri di mio padre da quella in salotto, li leggevo e poi li mettevo nella mia. Il mio obiettivo era di vedere tutti i libri nel salotto finire sulle mensole della camera. Era diventata come una specie di ossessione... vederli aumentare sulla mia libreria mi dava una grande soddisfazione. Quando qualcuno voleva farmi un regalo, sapeva che per farmi felice mi doveva comprare un libro. Mia madre era sempre più preoccupata. Una volta mi disse: "Se non ti chiamo io per cenare, tu non mangeresti nemmeno per continuare a leggere. Sono preoccupata". Ricordo che le ho detto di non preoccuparsi e che semplicemente preferivo a volte passeggiare tra le città invisibili, o a Macondo con i Buendía, o a Los Angeles con Arturo Bandini. La mia risposta la preoccupò ancora di più, tanto che decise di mandarmi da un analista.»

«E tuo padre che diceva?»

«Mio padre non poteva dire niente. È morto quando avevo quattordici anni e mezzo. Io non ero impazzito, semplicemente avevo perso la persona che più amavo al mondo e leggere i suoi libri o ascoltare la sua musica mi faceva sentire ancora vicino a lui.

«Nelle pagine di quei libri incontravo mio padre. Sapevo che lui c'era passato prima di me e cercavo ogni sua piccola traccia. Era stato a tavola in una bettola con Raskòlnikov in *Delitto e castigo*, aveva bevuto il *narzan* con Berlioz in *Il maestro e Margherita*. Mio padre aveva annusato prima di me il profumo della pelle di Catherine in *Cime tempestose*. Aveva assistito alle chiacchierate tra Castorp e Lodovico Settembrini passeggiando con loro tra le pagine de *La montagna incantata*. A volte nelle descrizioni di oggetti o situazioni mi piaceva immaginare che magari nel posacenere di un bar c'era un mozzicone lasciato da mio padre, su una spiaggia le impronte dei suoi passi, o che al volante di una macchina che passava ci fosse lui. Lo so, è una follia, ma questa fantasia mi rendeva felice.»

10
Lei (che ora ama un altro)

«Hai ragione, ti capisco» le ho detto quando mi ha lasciato. Lo so, è una frase del cazzo, ha fatto schifo anche a me sentirla appena l'ho detta. Lo capivo persino io quanto fosse mediocre. Ma in quei momenti le mie paure vengono a galla e mi bloccano. Anche fisicamente.

Stavo perdendo una persona importante per colpa della mia incapacità di dare. Anche per quanto riguarda il discorso dei figli ho sbagliato: non ho mai voluto saperne, non ne ho mai parlato seriamente con lei, mi dava fastidio anche solo accennare a quest'argomento. Ma forse facevo finta di ignorare quanto fosse importante per lei.

C'è stata una volta, oltre al momento di follia iniziale, in cui ho pensato a quanto sarebbe stato bello avere un figlio, ma ho cambiato subito idea. Come sempre ho avuto paura. Mi è capitato davanti a un'immagine. Una domenica pomeriggio siamo andati a casa di amici che hanno due bambini, uno nato da pochi mesi. Lei ha giocato molto con loro, soprattutto con quello più grande. Poi è tornata nella stanza dove c'ero io tenendo il piccolo in braccio. Ho visto la Madonna: il viso e l'espressione che aveva lei con un bambino in braccio, l'amore nei suoi occhi mi hanno fatto capire in quell'istante che non potevo più permettermi di dirle che la amavo se poi le impedivo di realizzare il suo più grande desiderio. Dovevo scegliere: farlo o lasciarla andare.

Si dice che i figli siano l'unica cosa per cui vale l'espressione "per sempre". La donna con la quale si fanno in qualche modo è per sempre, anche se la storia finisce rimarrà comunque legata a noi.

Essere figli è più facile. In quanto figli non si può scegliere nulla: non si sceglie il padre, la madre, i fratelli, le sorelle. Mentre in un genitore il fatto di poter scegliere spesso crea ansia, per paura di fare la scelta sbagliata, e spesso fa rimandare continuamente la decisione. Non era il mio caso. Il problema non era lei, anzi. Se penso che lei mi ha lasciato perché desidera essere madre, io l'apprezzo ancora di più. Non è una di quelle donne che rinunciano alla maternità per un uomo.

Lei è la donna migliore che potessi mai avere. E l'ho persa. L'ho persa per colpa mia. Ogni volta che mi chiedeva più attenzioni, ogni volta che mi si avvicinava di più, io la tenevo a distanza anche solamente con una parola. Adesso quella distanza non la vorrei più. Lo facevo perché ho sempre pensato che non mi avrebbe mai lasciato. Lo vedevo che mi amava. Lei ne era capace e non aveva paura di esprimere ciò che sentiva. Pensavo che il suo amore per me fosse sufficiente a superare la mia indecisione. Invece un giorno le è bastato un istante, una frazione di secondo, per dire stop e tutto è cambiato. E io mi sono reso conto in un istante dell'importanza di ciò che ho gettato via.

Passeggiavo per strada con lei e tutti la guardavano, al lavoro gli altri uomini volevano scoparsela, baciarla, annusarla, toccarla, ma solo io potevo. Era la mia donna. Quando ero a letto con lei, non mi sembrava vero che fosse lì per me e che potevo toccarla, baciarla, starle addosso. Quella possibilità è meglio di qualsiasi droga. Guardavo, desideravo, toccavo. Potevo scoparla sul tavolo della cucina dopo cena. Potevo prenderla come volevo e lei me lo faceva fare. La sera, mentre era al lavandino del bagno per struccarsi, le alzavo il vestito e la scopavo lì, spingendo fino in fondo nel caldo del suo corpo. Improvvisamente. E la vedevo riflessa nello specchio mordersi il labbro, vedevo il suo viso godere e le sue mani afferrare il bordo del lavandino. E sentivo che era felice, che era quello che voleva e che lo voleva da me. Questo mi mandava fuori di testa. La cosa incredibile è che lei – così bella, così desiderata, così affascinante – voleva che solo io facessi quelle cose con lei. Non desiderava altri uomini, nemmeno li vedeva, forse. E adesso invece io sono uno dei tanti. Uno di quelli che può solo masturbarsi immaginando di fare l'amore con lei. E nemmeno ci riesco, perché sono troppo triste quando penso a lei.

Non posso più averla e penso che un altro uomo ora le sta mordendo il collo, i capezzoli, le sta aprendo le gambe. Un altro uomo le sta toccando la schiena, la sta annusando, le sta scostando i capelli dal viso mentre le parla. Un altro uomo le sta tenendo le mani sulla testa o sui fianchi. E lei pensa solo a godere e a dimenticarmi, o forse lo ha già fatto. Scopa senza pensare a me, gode senza pensare a me ed è felice senza pensare a me. Finalmente felice, perché lui le ha dato ciò che lei desiderava e che io non sono stato in grado di darle.

Mi manca. Mi manca in ogni cosa. Se avessi saputo che quelli erano gli ultimi giorni con lei, sarei stato più attento anche a fissare nella mia testa immagini nuove. Forse avrei fatto anche delle fotografie, ma quelle difficilmente si fanno quando si è tristi. Le fotografie hanno sempre il sorriso. Sono l'inizio.

Adesso le fotografie sbucano da tutte le parti. Una volta si mettevano negli album o nelle scatole che potevi chiudere in un armadio o in cantina, lontano dalla portata di ricordi dolorosi. Oggi, invece, trovi le foto digitali sul computer, in una vecchia mail, o sul cellulare. Vieni assalito all'improvviso dall'azzurro del mare di una vacanza, da una spiaggia assolata, dai suoi occhi, dal suo sorriso e dai suoi capelli bagnati di felicità. Le foto digitali sono come l'herpes, possono rispuntare all'improvviso.

Dopo la fine di una storia, molti iniziano a scopare in giro, per dimenticare o semplicemente perché era quello che desideravano. Io con le donne per un po' ho deciso di non esserci più. All'inizio ho scelto la solitudine, la silenziosa fedeltà a un ricordo, a un'ombra, a un eterno non essere più con lei. Per questo, soprattutto i primi tempi, ho desiderato infiniti silenzi. Poi con qualche donna sono uscito, ma ho continuato a non esserci comunque, e questo mi è costato altre rotture e separazioni. Perché quando non ami dopo un po' le donne con le quali esci ti fanno la predica e ti regalano le loro sentenze: "... Sei un uomo spaventato, non vuoi lasciarti andare, hai paura... Non sei libero, pensi di esserlo e invece sei schiavo della tua libertà... Che poi non è vera libertà perché, se non ti lasci andare veramente, che libertà è? E poi ti riduci solo a scoparti tutte quelle che vuoi, ma alla fine non ti lasciano niente ed è un altro modo di scappare...".

Io dico sempre che hanno ragione: è una questione di consapevolezza e di coraggio, e a me mancano entrambi.

Almeno una volta, però, mi piacerebbe dire quello che penso davvero: "Non ti è mai passato per la testa, invece di venire qui a sputare sentenze, che magari ti sei semplicemente fatta dei gran viaggi in base a quello che provi, e può essere che per me tu non fai la differenza, che per me non sei importante? Non c'hai mai pensato?".

Ma io non vado in giro a sparare sentenze. Mi prendo quello che le persone mi danno, e se non mi danno niente vuol dire che non sono importanti, significa che il rapporto è rimasto in superficie.

Solo con lei è stato diverso, importante e profondo. Ma lei se n'è andata. E io, adesso, sto male. In questo momento sono come una casa in rovina, a pezzi, una casa da sistemare. Per ora lei abita ancora dentro di me, ma appena i lavori saranno terminati forse sarà costretta ad andarsene.

O a tornare.

Perché io vorrei che tornasse: per questo l'ho chiamata qualche giorno fa. Quando mi ha risposto solo per dirmi di non chiamare più. Ma io ora ho capito. E sono pronto a stare con lei. Lo giuro.

Un giorno, parlando di lei con Nicola, ho detto: «Ho rinunciato a lei a causa dei miei limiti, ma non ho rinunciato al mio amore per lei».

«Che frase del cazzo» ha replicato lui. «Andrebbe bene per un romanzo rosa. Aspetta che mi siedo cinque minuti, mi viene da vomitare. Anzi no, me la segno, se dovessimo fare la pubblicità per la Barbie la usiamo come *claim*. Sì, dài... dopo la Barbie sposa, facciamo la Barbie che si suicida perché lasciata da Ken! Ho già anche il nome: "Barbie-turici". Già mi vedo lo spot: una Barbie riversa a faccia in giù per terra nella sua casetta, con un piccolo flacone di pillole ormai vuoto al fianco... la Barbie che non rinuncia al suo amore per Ken. Sai invece cosa penso io? Che l'amore per te stesso è stato più forte di quello per lei.»

«Che c'entra l'amore per me?»

«Amare lei, cambiare o anche solo provarci voleva dire distruggere i tuoi equilibri. Hai costruito il tuo mondo con il pensiero di un monolocale e non ti va di buttare giù i muri e farlo diventare un appartamento più grande. Tu hai una scatola con una misura e dalla vita prendi solo quello che sta in quella misura; tutto quello che ti capita di più grande e di più ingombrante lo lasci andare. Semplice. Non ti adatti e non vivi la vita per quello che ti offre, ma è la vita che diventa tale solo quando prende la tua misura. Devi imparare a "rompere le scatole". Pensa a cosa ho detto: non rompi mai le scatole.»

Ha ragione.

Il fatto è che adesso sono pronto per un bilocale. Se non posso più averlo, allora voglio la Barbie-turici.

11
Ancora più giù

Lavorare a quindici anni è una fregatura. Ogni pomeriggio i miei amici si trovavano al parco e io potevo raggiungerli solo quando mio padre mi faceva smettere prima. A volte passavano loro a salutarmi al bar. Venivano a bersi la cioccolata o a mangiare delle patatine, o una fetta di torta... dipendeva da cosa avevano fumato. Io sono sempre stato diverso da loro, più isolato, forse anche perché nella compagnia ero l'unico che lavorava; loro erano tutti studenti, quindi con tempi più simili. Verso i diciotto anni anche loro hanno smesso di vedersi al parco. Qualcuno ha iniziato a lavorare dopo il diploma, altri avevano la fidanzata, alcuni frequentavano l'università in altre città. Di fatto, in quel periodo non avevo praticamente più amici. A parte Roberto. Ma lui era diverso, era grande; io parlo dei miei coetanei. Avevo diciotto anni compiuti ed ero praticamente solo.

In un palazzo vicino al bar c'era l'ufficio di un commercialista, dove lavoravano una decina di persone. Spesso ordinavano caffè, tè, cornetti. Mi piaceva fare le consegne. Prendevo una boccata d'aria fresca e quando tornavo camminavo piano. Una mattina in ufficio, oltre ai soliti impiegati, c'era anche una ragazza nuova, Lucia, la figlia del commercialista. Era il suo primo giorno di lavoro. Mi fece un sorriso e quando ho visto i denti ho pensato: "Serviranno anche per masticare o sono solo di bellezza?". Erano perfetti, e anche le labbra, gli occhi, i capelli, il collo, le mani; e come si vestiva, come respirava, come... Da quella mattina sognavo solo che chiamassero per portare gli ordini in ufficio e, mentre prima salivo senza pensare a niente, dopo quella mattina andavo in bagno a pettinarmi e mi toglievo sempre il grembiule prima di fare la consegna.

Lei aveva capito che mi piaceva. Avrei voluto provare a parlarle, ma non avevo il coraggio. Una mattina, nel suo sacchetto con il cornetto, ho scritto sul tovagliolino di carta: "Quando ti vedo i conti non tornano. Puoi aiutarmi?".

Ho passato il resto della giornata pensando che ero stato un idiota a scriverle quella cavolata. La sera, mentre pulivo il pavimento del bar, lei ha bussato alla vetrina, ha appiccicato il tovagliolino con la frase al vetro e mi ha sorriso.

La mattina salivo da lei in ufficio e ci scambiavamo sorrisi meravigliosi. Poi la sera, quando tornava a casa, spesso passava dal bar a salutarmi.

Mio padre mi chiedeva sempre di pulire per terra proprio nella mezz'ora in cui di solito passava lei e io mi vergognavo. Anche perché strizzando lo straccio le mani dopo un po' mi diventavano tutte rosse, al punto che, mentre parlavo, non mi sentivo più a mio agio e cercavo in qualche modo di nasconderle.

Mi sono sempre vergognato delle mie mani. Come alla festa dell'amico di Carlo. Avrei potuto spiegarlo a mio padre, ma lui mi avrebbe risposto con una delle sue solite frasi: "Che c'è da vergognarsi? Stai lavorando, devi avere vergogna solo a far del male alla gente". Oppure: "Le mani di chi lavora non sono mai sporche...". Per questo non dicevo niente, lavavo per terra e quando passava lei mi toglievo subito il grembiule e uscivo a salutarla. A lei non sembrava importare molto che io fossi impegnato a pulire con lo straccio. Ero solo io a pensarlo.

Un giorno le ho chiesto se le andava di venire al cinema con me la domenica pomeriggio. Mi ha risposto di sì. Era venerdì. Mi ha dato l'indirizzo di casa: la domenica dopo pranzo sarei dovuto passare a prenderla.

Mio padre fortunatamente non aveva più la 128 bianca con il cofano marrone, e nemmeno la Panda, ma una normalissima Fiat Uno, che non era il massimo però andava bene. Aveva solo un difetto: quando pioveva, da qualche parte entrava un po' d'acqua e per qualche giorno nell'abitacolo rimaneva un fastidioso odore di umidità. Per questo la chiamavo Fiat One, ma tutto attaccato. "Fiatone", come fiato pesante.

Ho passato quel sabato a lavare la macchina e ho messo una polverina profumata nel posacenere. La sera prima avevo preparato una cassetta da mettere nell'autoradio. Non ricordo tutte le canzoni che avevo scelto, ma avevo cercato di farla il più romantica possibile. Tre le altre canzoni, ricordo che c'erano no *Still Loving You* degli Scorpions, *Mandy* di Barry

Manilow, *Up Where We Belong* di Joe Cocker e Jennifer Warnes e *Every Time You Go Away* di Paul Young.

L'appuntamento era alle due e mezzo. Il film iniziava alle tre e mezzo. Alle due in punto ero già sotto casa sua, a controllarmi nello specchietto retrovisore. Le avevo proposto di andare a vedere *Cyrano de Bergerac* con Gérard Depardieu.

Dopo il cinema siamo andati in un bar a prendere un tè e io, forse a causa del film o della felicità di essere con lei, ho parlato tantissimo, come non facevo da anni. Per me che non sono andato a scuola è una gioia poter parlare di qualcosa che possa farmi vedere preparato. È ridicolo, lo so, tuttavia, quando non hai studiato e ti senti in difetto, se sai una cosa la vuoi dire subito come da bambini: "La so, la so, la so...".

In quel bar abbiamo parlato tanto, soprattutto di storie d'amore. Io passavo da Cyrano a Byron, a Dante, a Shakespeare, a Rimbaud. Ci siamo alzati e siamo usciti, Lucia con la sua borsetta e io con la mia. Nel senso che avevo un'autoradio estraibile che sembrava una borsetta di ferro. A volte la mettevo sotto il sedile o nel cassettino, ma i ladri lo sapevano, e allora preferivo portarla sempre con me.

Il lunedì mattina Lucia è passata al bar a fare colazione prima di salire in ufficio. Il bar era pieno e non ho potuto parlarle molto, e poi non mi andava di far sapere a tutti, compresa la mia famiglia, quello che le dicevo. Mi ha sussurrato solo: «Grazie ancora per ieri, sono stata benissimo», poi mi ha chiesto il titolo di un libro di cui le avevo parlato il giorno prima. Gliel'ho scritto su un tovagliolino: *Il gioco delle perle di vetro* di Herman Hesse.

Abbiamo iniziato a uscire insieme anche durante la settimana. Non volevo provarci subito come
un assatanato, però avevo anche paura di entrare
in quella fase pericolosa di cui mi avevano parlato,
quando lei dice: "No dài, meglio di no, non vorrei
rovinare questa amicizia".

Dopo circa una settimana, una sera ho preso coraggio e l'ho aspettata davanti al portone del palazzo dove lavorava. Quando è uscita le ho chiesto di
rientrare e l'ho seguita. L'ho guardata e, nell'angolo
dell'atrio, l'ho baciata appassionatamente spingendola contro il muro. Mi ha detto: «Tu sei pazzo». Poi,
a sua volta, mi ha dato un bacio. Non molto lungo,
perché aveva paura che qualche collega passasse di lì.

Ormai eravamo fidanzati. Dopo un mese non avevamo ancora fatto l'amore. La baciavo e iniziavo a
toccarla sotto la gonna, sotto le mutande. La prima volta che ho sentito la carne morbida e bagnata
aprirsi sotto quella soffice peluria, una vampata di
calore è esplosa in tutto il mio corpo, soprattutto in
faccia. La toccavo con delicatezza, quasi spaventato.

Lei non voleva fare l'amore in macchina perché
aveva paura e in hotel neanche a parlarne, diceva
che la faceva sentire una puttana. La sera la accom-
pagnavo a casa e prima di andare a dormire mi fermavo un po' più del solito in bagno.

Un giorno Roberto mi ha chiamato e mi ha detto: «Senti, io sabato sera esco e mi fermo a dormire
da un amico. Perché non vieni qui a casa mia con la
tua ragazza?».

Quando l'ho detto a Lucia, lei ha risposto che andava bene. Era giovedì, e ogni minuto che passava

mi saliva un'ansia sempre più grande. Desideravo così tanto fare l'amore con lei che avevo paura di durare tre secondi nel nostro primo rapporto.

Il sabato pomeriggio prima di farmi la doccia ho dato una strizzatina al missilino. Mi sono masturbato, ma senza pensare a lei. Mi sembrava una cosa brutta farlo pensando a lei e avevo paura di rovinare con quel gesto e quei pensieri ciò che stava succedendo tra noi. Avevo portato anche una bottiglia di champagne, presa di nascosto al bar. Volevo fare come quelli dei film, anche se a me il vino non è mai piaciuto. Abbiamo fatto il letto insieme con le lenzuola pulite. In silenzio. Imbarazzati. È strano fare il letto insieme sapendo a cosa serve, è come preparare il campo di battaglia. Ci siamo seduti sul divano a chiacchierare, a bassa voce perché avevo l'ansia che i miei mi sentissero. Abbiamo bevuto lo champagne mentre ci davamo dei piccoli baci e delle carezze. Avevo messo su anche della musica. «Non sbagliare disco» si era raccomandato Roberto. Mi aveva lasciato una selezione di vinili sul mobiletto come suggerimento: Sam Cooke, Stevie Wonder, Marvin Gaye, The Commodores, i Roxy Music.

Abbiamo fatto l'amore. Per la prima volta. Per tre volte. È stato come se volessi fare l'amore con lei da una vita. E forse era così.

L'ho amata senza misura. Lei era la mia prima fidanzata e io il suo ragazzo. Mi sentivo potente come Dio. Provavo, per la prima volta, il sapore seducente dell'appartenenza: lei era la mia ragazza e io ero suo, completamente suo.

Il mondo non era più così ingiusto e crudele con

me. La mattina affrontavo tutte le mie rotture di scatole senza esserne coinvolto. "Chi se ne importa. Tanto poi vedo lei e mi dimentico tutto" pensavo. Avevo alzato un gigantesco dito medio sul mondo. Con Lucia stavo bene. Passeggiavo, chiacchieravo, facevo l'amore. Restavamo ore abbracciati a letto, a scrivere promesse di eternità sul soffitto.

La mattina le scrivevo "ti amo" sui tovagliolini che le lasciavo nel sacchetto delle brioche, o le mettevo un piccolo fiore, un cioccolatino. L'amavo ogni giorno di più e ogni volta mi stupivo che fosse possibile. Nessuno nel suo ufficio sapeva che stavamo insieme. Lei era il pezzo di mondo separato da tutto e da tutti, anche dalla mia famiglia, il pezzo di mondo che avevo sempre desiderato. Senza nessuna invasione. Perché io senza la mia vita ero migliore.

Un giorno ho aspettato Lucia sotto casa per un sacco di tempo. Appena è salita in macchina ho capito che aveva pianto.

«Che c'è?»

«Niente, andiamo, dài.»

Ho insistito e alla fine mi ha confessato che sua madre non voleva che uscisse con me perché lavoravo al bar, perché non avevo studiato. In quel momento mi sono risvegliato da un lungo sogno. Mi sono guardato le gambe ed è spuntato il grembiule del bar.

La madre era terrorizzata che la figlia finisse alla cassa del bar e aveva deciso di iniziare una battaglia contro di me usando tutte le sue forze. Non potevo più telefonare a casa e lei non poteva telefonare a me. Ai tempi c'erano ancora i telefoni di casa con la rotella e sua madre aveva messo un lucchetto, come facevamo noi al bar. Quando la riaccompagnavo a casa, la salutavo e non c'era più modo di comunicare con lei. Ogni volta che andavo a prenderla, usciva in ritardo e io immaginavo che avesse appena litigato con la madre.

«Vuoi che le parli? Così vede che sono uno a posto e magari si tranquillizza. Io mi alzo alla mattina alle sei e lavoro tutto il giorno. Sono un bravo ragazzo.»

«No, sarebbe inutile. Le ho scritto una lettera settimana scorsa, l'ha stracciata dicendo che non le farò cambiare idea.»

Lucia aveva una sorella più piccola di un anno, fidanzata con un ragazzo di ottima famiglia; il padre, infatti, aveva un'azienda che trattava il ferro. Di quella storia la madre era felice. Sgridava Lucia quando tornava a mezzanotte durante la settimana e non diceva niente alla sorella più piccola che tornava dopo di lei.

Una domenica, mentre eravamo nella mia cameretta, la madre di Lucia ha chiamato a casa dicendo che la sorella andava a una festa del Rotary con il fidanzato e voleva che ci andasse anche lei. «Passa da casa, così ti metti un vestito e non quei jeans che indossi sempre quando esci.»

Io non ci potevo credere, non sapevo che dire. Era comunque sua madre e non mi sentivo di criticarla davanti a lei.

«Forse è meglio se vado» mi ha detto Lucia «altrimenti poi non mi fa uscire per tutta la settimana.»

«Okay, ti accompagno.»

L'ho portata a casa a cambiarsi stando in silenzio per tutto il tragitto. Alla festa sarebbe andata senza di me. Io sono tornato a casa, mi sono messo le cuffie dello stereo con l'album *Pearl* di Janis Joplin. Avevo bisogno di quella voce piena di sofferenza.

Pensavo a Lucia. Alla possibilità che incontrasse qualcuno e mi lasciasse. In quel momento ho imparato che cos'è la gelosia.

Una mattina è squillato il telefono del bar e la fortuna ha voluto che rispondessi io.

«Pronto...»

«Sono la mamma di Lucia.»

«Buongiorno signora, sono Lorenzo.»

«Passami i tuoi genitori che devo parlare con loro.»

«Io sono maggiorenne, signora, se deve dire qualcosa lo può dire a me.»

«Bene, allora lo dico a te. Non voglio più che vieni a prendere Lucia a casa, non voglio che lei venga a casa tua, devi smettere di uscire con lei e non devi chiamarla più. Devi dimenticarla e lasciarla in pace. Chiaro?»

«Mi scusi, signora, non capisco per...»

Clic. Mi ha riattaccato il telefono in faccia.

Sono andato in bagno, mi sono guardato allo specchio e ho provato pena per me, per la mia vita.

Lucia aveva reso i miei giorni degni di essere vissuti.

Continuavo a non capire perché il mondo mi trattava così. Perché a me? Ero un ragazzo volenteroso, educato, mai sgarbato con nessuno e che lavorava sodo. Più dei miei coetanei, più dei miei amici. Loro andavano a scuola e se venivano bocciati le famiglie li mandavano in qualche istituto privato dove pagando facevano due anni in uno e venivano promossi. Avevano la moto che volevo io, i vestiti che volevo io, le case che volevo io e facevano le vacanze che avrei voluto fare io. Io, invece, venivo umiliato in continuazione, lavoravo tutto il giorno e non potevo comprarmi niente di ciò che desideravo. Ho iniziato a pensare che forse il mondo non mi voleva, forse nemmeno Dio. Eppure nei *Promessi sposi* avevo letto che "Dio non turba mai la gioia dei suoi figli, se non per prepararne loro una più certa e più grande". Forse i libri non dicevano sempre la verità. Io non chiedevo un premio per i miei sacrifici, volevo solo sapere perché tutto quello che facevo nella vita non bastava mai.

Forse sua madre non aveva tutti i torti. Lucia non sapeva molte cose della mia vita, non sapeva delle corse a pagare le cambiali, o dei problemi con le banche. A lei non avevo mai detto nulla. Qualcosa aveva capito, ma sembrava non importarle.

Mi ricordo che un sabato mio padre mi ha chiesto se avevo dei soldi da parte perché doveva pagare un rappresentante; a fine giornata avrei potuto riprenderli dalla cassa. Gli ho risposto che dovevo vedere; in realtà li avevo, ma quella sera volevo portare Lucia al ristorante e al cinema. Alla fine gli ho dato i soldi. La sera, prima di chiudere il bar, è passato un altro rappresentante al quale mio padre non poteva più dire di no. Era già la terza volta che gli diceva di ripassare. Per farla breve, quella sera non avevo i soldi per uscire. Ho detto a mio padre che me lo aveva promesso. Mi ha risposto solo: «Mi dispiace. Te li do lunedì».

Sono andato a casa e mi sono chiuso in camera. Ho pianto, poi ho chiamato Lucia e le ho detto che avevo la febbre.

Forse aveva ragione sua madre a volerla allontanare da me.

Ma io l'amavo. L'amavo.

A Lucia in seguito ho raccontato della telefonata di sua madre. Ha iniziato a piangere e a scusarsi. Abbiamo continuato a uscire insieme, sperando che prima o poi la madre la smettesse con la sua battaglia.

Un giorno, mentre aspettavo Lucia sotto casa, la madre si è affacciata al balcone e mi ha urlato: «Forse non mi sono spiegata bene oppure pensi che stia scherzando. Ti ho detto che non devi più uscire con mia figlia... sono stata chiara?».

Io non ho risposto.

Dopo una settimana è arrivata la seconda telefonata. Quella volta è stata ancora più decisa: «Mio fratello lavora nella Finanza e l'ho già avvisato. Se non la smetti di uscire con Lucia, costringerò tuo padre a chiudere il bar. Non sto scherzando. Devi smettere di frequentare mia figlia e non devi mai dirle che ti ho telefonato e detto queste cose. Altrimenti chiamo subito mio fratello».

Mi ha sbattuto nuovamente il telefono in faccia. Quella volta ha vinto. Aveva trovato il mio punto debole e aveva sparato proprio lì. Qualche minuto dopo quella telefonata sono andato in bagno a vomitare.

Con la mia famiglia di mezzo mi sono arreso. In più mi ero convinto che Lucia era veramente troppo per me e che, al di là delle minacce, sua madre aveva ragione.

Ho lasciato Lucia in lacrime senza mai darle una spiegazione. Ho smesso da quel giorno di portare le ordinazioni nel suo ufficio e, quando proprio lo dovevo fare, entravo a testa bassa ed evitavo il suo sguardo. Lei veniva al bar, mi cercava, voleva spiegazioni, insisteva che cambiassi idea e che tornassi con lei.

Ho iniziato a evitare Lucia e lentamente sono morto dentro. Non sentivo più nulla, non mi faceva paura più nulla. Non volevo più avere a che fare con nessuno. Ma la notte faticavo a prendere sonno, e il mattino ad alzarmi. Mangiavo meno, a volte niente. Ho iniziato a dimagrire. Ero pallido.

Analizzando ora quella storia credo che comunque, anche senza sua madre, avrei perso ugualmente Lucia. Mi ero appoggiato a lei perché era l'unica cosa bella che avevo.

Ma non volevo più amare e nemmeno essere amato.

I problemi in casa, la prima delusione d'amore con Sabrina, il dolore della storia con Lucia, la maestra, i direttori di banca, i notai, i cancellieri, i vaffanculo, il mio salvadanaio che non ho più visto e tutto il resto cominciavano a essere ormai troppo per me. Ero in ginocchio. Mi sentivo rifiutato e ho imparato così a non chiedere.

Le uniche emozioni da cui mi lasciavo sfiorare erano quelle che venivano da un film o dalla musica, ma soprattutto dalla letteratura.

Con quel sentimento nel cuore ho iniziato ad amare ancora di più i libri. Li divoravo, li consumavo, mi rifugiavo dentro quelle pagine per scappare da tutti i miei problemi. Mi allontanavo dal mondo che mi aveva ferito.

12
Lei (che deve fare una scelta)

«Tu ci hai mai pensato che ci sono mille modi per chiamare un pompino e solo uno per il *cunnilingus?*» mi ha detto Nicola qualche giorno fa, mentre stavamo lavorando.

«No, francamente non ci ho mai fatto caso... È grave?»

«Io penso che in realtà è con l'emancipazione della donna che è aumentata la pratica. Mentre molti uomini continuano a non praticare il sesso orale...»

«Nemmeno tutte le donne fanno i pompini, però.»

«Sì, ma sono pochissime quelle che non li fanno. E sai perché molti uomini non lo fanno? Perché il sesso orale fatto a una donna è una prova di coraggio. Non è come quando loro lo fanno a noi, perché il pisello è lì, grande o piccolo, fine o grosso, duro o non duro... è lì, lo vedi e sai cos'è. Il cazzo si vede, la patata no. È un luogo misterioso, cavernoso e buio, sconosciuto anche alle stesse donne. Fai conto che noi per guardarcelo ce lo prendiamo in mano, loro per dare un'occhiata hanno bisogno di uno specchio. Ti rendi conto? Tu non sai quante di loro non hanno idea di cosa ci sia là sotto. E se la portano in giro con disinvoltura.

«Alcune nemmeno sanno dov'è esattamente il buchino da cui fanno la pipì. Una volta un mio compagno d'università mi ha chiesto: "Come fanno le donne a fare la pipì quando hanno l'assorbente interno?".

«Io dico che è una prova di coraggio perché quando siamo davanti a quel mistero, faccia a faccia, e la baciamo e ci infiliamo la lingua, non sappiamo bene esattamente dove la stiamo mettendo. Se ci pensi, per quanto ne sappiamo improvvisamente potrebbe anche uscire una mano, prenderci la lingua e strapparcela. Potrebbe uscire un pungiglione e ucciderci, potrebbe uscire qualsiasi cosa.»

«Basta, basta, ho capito... la prossima volta che lo farò mi verranno in mente le tue parole, mi hai rovinato la magia di quel momento.»

«Ma no... non succede nulla, stai tranquillo. Poi tu non sei un grande mangiatore di patata come me... però potrebbe anche uscire la faccetta di uno che ti fa l'occhiolino e ti dice: "Ti piace eh?".»

«Non è vero che non sono un grande mangiatore di patata, è che non ci riesco con tutte, solo con quelle che mi piacciono veramente, non come te che mangi tutto.»

«Eh, sì... e non sai quanto mi piace. Pensa che mi presento davanti al letto con il cuscino sotto l'ascella, prendo la donna con una mano sola per le caviglie e la alzo come si fa con i conigli, infilo il cuscino sotto il sedere e faccio quello che devo fare... Che meraviglia! È una grande prova di coraggio, è come sottoporsi alla macchina della verità.»

«La macchina della verità?»

«Sì, la macchina della verità, perché loro capiscono se lo fai perché ti piace o solo per avere un pompino in cambio. Lo capiscono se hai un doppio fine e questo a molte non piace, si sentono ingannate. Niente come il sesso orale rivela a una donna chi sei.»

«Queste cose chi te le ha dette? O le hai studiate come hai fatto con le mestruazioni?»

«Certo che le ho studiate. Se vuoi far godere la tua donna, devi sapere che è più importante riuscire a farla sentire tranquilla che scoparla per ore. Per fare in modo che i centri del piacere in una donna si possano attivare, bisogna che la parte del cervello che si chiama amigdala sia disattivata. Perché avvenga, la donna deve sentirsi tranquilla, senza nessuna preoccupazione o altro.

«È importante anche sapere che se le terminazioni nervose sulla punta della clitoride vengono stimolate creano il piacere, ma se la stimolazione viene interrotta la clitoride non trasmette più nulla, si spegne. Cioè in quel caso è inutile che stai lì e ti danni, perché lei ormai non sente più nulla. Giusto perché tu lo sappia.»

«Grazie, Focus!»

«Piuttosto sarebbe interessante sapere cosa pensano le persone quando lo fanno.»

«Che cosa?»

«Il sesso orale... Cosa pensa lei mentre lo fa a te e cosa pensi tu mentre lo fai?»

«Sarà che è un po' che non pratico, ma non mi ricordo a cosa penso. Perché, tu hai un pensiero ricorrente?»

«No, a volte penso: "Come ha detto che si chiama?".
Altre invece: "Mi starà guardando?". Con Sara, per
esempio, ci sto delle ore intere e penso solo che ha
il sapore più buono del mondo. Ha una pesca sci-
roppata tra le gambe. Però lei mi piace tutta, la pelle
morbida, liscia, luminosa. È così luminosa che quando giochiamo a nascondino la notte, nudi in giro per
casa, la trovo anche a luci spente.»

«Tu giochi nudo a nascondino per casa?»

«A volte.»

«Oddio, che brutta immagine! Tu nudo, bianco e
molliccio, rannicchiato in un angolo.»

«Mi faccio trovare subito. Lei la trovo anche per
l'odore: un profumo che mi manda fuori di testa. E
poi il seno sodo, le gambe dritte, e un culo che parla. In svariate lingue del mondo tra l'altro. Perfino i
peli sono morbidi. Sembrano di cotone. Non come
quella che ti ho presentato in palestra l'anno scorso, che aveva il pelo come il filo da pesca dell'otto,
quello con cui puoi prendere anche pesci da due chili. Cazzo, in mezzo alle gambe aveva la paglietta di
alluminio per pulire i fondi delle padelle! Pensa che
quando si faceva la ceretta mi mandava un messaggio, perché aveva una ricrescita così veloce che aveva l'autonomia di una sera prima di pungere.

«Comunque con Sara non è solo una questione
fisica. Hai presente quando dopo aver fatto l'amore le donne ti chiedono di non uscire? Lei è l'unica
dentro la quale rimango volentieri, nemmeno me lo
deve chiedere. Con le altre, dopo essere venuto, vorrei sempre salire su una catapulta e ritrovarmi vestito a passeggiare dall'altra parte della città.

«L'altro giorno, dopo aver fatto l'amore, mi è venuto da piangere. Non mi ha visto, ho nascosto la faccia nel cuscino. Poi, però, è successo un casino.»

«Cos'è successo?»

«Lei pensa che io le abbia detto "ti amo".»

«Gliel'hai detto?»

«No, ma lei pensa di sì!»

«Come... "pensa"? L'hai detto o no?»

«Dopo che mi è venuto da piangere e mi sono nascosto nel cuscino, mi sono turbato per quello che ho provato e mi è venuta voglia di alzarmi e uscire di casa per fare una passeggiata. Mi sono girato verso di lei e l'ho abbracciata. La mia bocca era sul suo collo e ho detto: "Andiamo".

«Lei mi ha risposto: "Anch'io".

«Non me la sono sentita di dirle: "Guarda che ho detto 'andiamo', non 'ti amo'...". Così adesso lei pensa che la amo.

«La cosa mi ha sconvolto. Io non ho mai detto "ti amo" in vita mia e invece con lei senza dirlo l'ho detto. Ho provato il desiderio di scappare da Sara. Il giorno dopo mi ha chiamato Valeria dicendomi che voleva vedermi e credo di averla usata per tranquillizzarmi. Per illudermi di essere un uomo libero.»

«Valeria chi? "Erotismo e famiglia"?»

«Sì, proprio lei.»

Erotismo e famiglia: la chiamiamo così perché è un mix tra il desiderio di una storia seria e la trasgressione, il sesso in posti strani, le situazioni selvagge. Quando ha incontrato Nicola, gli ha detto subito che amava i giochi erotici, ma questo non le impediva di volere una famiglia. Lui scherzando le ha proposto di scopare nel cesso dell'Ikea. Era una di quelle battute stupide che dice spesso alle donne. Gli vengono così e le dice con una faccia da culo che ti fa comunque ridere. Come quando una ragazza ha risposto così alle sue proposte sessuali: "Sono una ragazza all'antica e soprattutto con i piedi per terra e mi piace tenerceli".

"Allora quando ci vediamo vieni con la gonna. Visto che devi tenere i piedi per terra, meglio se metti qualcosa che puoi togliere dalla testa."

Dopo una battuta così io non lo avrei nemmeno preso in considerazione. Invece dopo una settimana lei era a casa di Nicola con i piedi non esattamente per terra.

«Vuoi dirmi che hai scopato con Valeria?»

«Quando me lo ha chiesto, in un primo momento le ho detto di no, ma avevo bisogno di stare con un'altra donna, di scappare da Sara, te l'ho detto. Ho ceduto. Le ho detto di no tre volte, poi non le ho più detto no. Non ho detto nemmeno sì, ma ho smesso di dire no.»

«E quando vi siete visti?»

«Questa mattina. È venuta a suonarmi a casa alle sei e mezzo. Me lo aveva detto ieri che sarebbe passata, ma pensavo scherzasse, non ci pensavo nemmeno più.»

«Ma non si doveva sposare con l'industriale, il re del tondino?»

«Oggi. Per quello è venuta così presto. Abbiamo fatto l'amore, poi è tornata a casa, si è preparata ed è andata a sposarsi. Ma secondo te si riferiranno a questo quando parlano di rapporti prematrimoniali?»

Ho riso per la sua battuta e gli ho chiesto: «Ma in sostanza... Sara, al di là della parola capita male, la ami o no?».

«Credo di sì. Mi piace. Forse ci farei anche un figlio. Tu non ci hai più pensato da quando lei se ne è andata?»

«Ultimamente sì.»

Sul desiderio di un figlio ricordo alcune parole che lei – la lei che mi ha lasciato e se ne è andata, e che tra un mese e mezzo si sposa – mi ha detto una volta in macchina, mentre tornavamo a casa una domenica dopo un pranzo da amici. Il suo discorso non faceva una piega.

«Quando ero piccola sognavo di avere cinque figli, a mano a mano che sono passati gli anni la possibilità è scesa. Da cinque sono diventati quattro, poi tre. Adesso ho trentasei anni e sento che sto perdendo la possibilità di averne due e tra poco perfino l'ultima occasione sarà andata.

«Voglio essere madre.

«Trovare la persona giusta non è facile... e per me tu lo sei. Ma la natura ci ha fatto diversi e, anche se abbiamo più o meno la stessa età, tu puoi fare figli ancora per molti anni. Basta trovare una donna più giovane. La mia porta, invece, si sta per chiudere. Per questo mi sta crescendo dentro l'ansia e, anche se cerco di nascondertela perché ti allontanerebbe ancora di più, ormai credo di non farcela più. Sai quanto ti amo, ma ora sta diventando troppo difficile farlo. Il prezzo che mi stai chiedendo è troppo alto. Non credere che sia facile, non è lasciandoti che risolvo il problema; le possibilità di trovare in poco tempo un altro uomo da amare e con il quale fare un figlio sono pochissime. Soprattutto con te ancora nella testa... ma almeno saprò di averci provato. Sono già arrabbiata con me stessa per il tempo che ho perso e che adesso mi fa sentire una poverina in cerca di un uomo. Non avrei mai pensato di arrivare a tanto nella vita.»

Mentre parlava io avrei voluto scendere dalla macchina. Fortunatamente mi ha chiesto di portarla da una sua amica perché non aveva voglia di tornare a casa con me. Io ero contento di quella richiesta. Quando è tornata a casa, la sera tardi, io stavo già fingendo di dormire.

13
Solo nel mondo

Un giorno, di ritorno da un weekend a Firenze, Roberto mi ha confidato di essersi innamorato di una ragazza di Barcellona, Maria, conosciuta per caso. Dopo tre giorni lei è venuta a casa sua.

Quando Maria era partita già da un mese, Roberto mi ha detto che aveva deciso di andare a vivere a Barcellona per stare con lei.

«Voglio una famiglia con tanti figli e li voglio avere con lei. Queste sono porte che si aprono e si chiudono, e se non ne approfitto subito perdo qualcosa di magico. La amo.»

«Beh, se è lei, sarà lei anche tra un anno, no?»

«Io credo di no, penso che nelle situazioni ci siano attimi per entrare e attimi per uscire. Adesso sento che è il tempo giusto.»

«Quindi non vai solo per un po' a Barcellona, ma con l'idea di starci per sempre?»

«Non lo so, magari non funziona, però ci devo provare. Seguo ciò che sento.»

Ha preparato tre valigie grandi, poi molte cose che

aveva in casa le ha regalate agli amici. A me ha consegnato i dischi e i libri.

Ora senza Lucia, senza Roberto, senza me stesso era sempre più dura. Dopo cena andavo subito in camera. Rimanevo sdraiato sul letto a guardare il soffitto nel tentativo di trovare una soluzione. Mi mettevo le cuffie e ascoltavo un po' di musica, soprattutto i Pink Floyd.

La cosa più importante per me a quel punto era trovare il modo di fare un po' di soldi e aiutare la mia famiglia. Sarei potuto andare a lavorare la sera in qualche altro bar o in una discoteca o a fare il cameriere in pizzeria, ma avrei lavorato un sacco di ore e i soldi guadagnati non avrebbero cambiato comunque la nostra condizione. Erano troppo pochi quelli che avrei preso e troppi quelli che mi servivano. Quello che faceva Valerio, io non riuscivo a prenderlo nemmeno in considerazione. Lui andava a casa di un signore che gli dava duecentomila lire: in cambio doveva solamente abbassarsi i pantaloni e farsi fare un pompino. Con Carlo avevamo pensato anche di metterci a produrre magliette con scritte simpatiche o disegni divertenti. Ma alla fine l'idea è affondata subito, perché ci mancavano i soldi per avviare l'attività.

I problemi della mia famiglia erano sicuramente dovuti al fatto che mio padre non aveva la stoffa del commerciante. Non era uno che insisteva o cercava di convincere la gente a comprare. Non che nel bar ci fossero molte possibilità, ma quando uno è un venditore nato fa la differenza e trova sempre il modo giusto per vendere. Il macellaio sotto casa mia, per esempio, mette delle luci leggermente rosse nel bancone e la carne diventa di un colore più intenso. Sembra una stupidata, ma funziona. Oppure usa la vecchia tattica del "no, non glielo do". Almeno una volta a ogni cliente, dopo che ha chiesto qualcosa, bisogna dire: "No, mi scusi, ma oggi a lei questa carne non la do. Non è come dovrebbe essere, mi dispiace, prenda quest'altra, perché questa oggi non gliela posso proprio dare".

Da quel momento avrà un cliente affezionato perché si è appena stabilito un rapporto di fiducia. Poi entra un altro cliente e può darsi che il macellaio dica la stessa frase anche a lui, magari consigliandogli il pezzo di carne appena negato. "Il mio macellaio mi tiene da parte la carne migliore..." questo è ciò che pensano i suoi clienti.

Essere venditori è un talento, al di là di ciò che uno propone. C'è gente in grado di vendere qualsiasi cosa. Mio padre no, lui è ossessionato dall'onestà. Come quelli che sono ossessionati dalla fedeltà, anche a costo di soffocare l'amore.

E non solo dall'onestà, ma anche da quello che i miei genitori chiamano "riguardo". Non saprei descrivere esattamente le circostanze in cui lui e mia madre usavano questa parola. Per esempio, anche se eravamo indebitati fino al collo, capitava che molti clienti al bar facessero segnare sul conto, invece di pagare tutti i giorni. Alcuni non pagavano nemmeno dopo mesi e il debito iniziava a essere alto.

«Mamma, diciamogli che deve pagare...»

Ecco, loro non riuscivano a chiedere i soldi nemmeno a chi ce li doveva. Erano fatti così: anche se ne avevano bisogno, non ci riuscivano. Si facevano "riguardo".

I miei genitori sono persone discrete. I signori "non-vogliamodisturbare", "nonvogliamodarfastidio".

Quand'ero piccolo mi dicevano di non trascinare le sedie perché non volevano che gli inquilini dell'appartamento di sotto si lamentassero di noi. E non si lamentavano certo con la famiglia sopra di noi che, invece, quel riguardo non se lo faceva. Anche la televisione bisognava tenerla bassa, soprattutto d'estate, quando le finestre erano aperte.

Una sera ho visto il cartone animato di *Alice nel paese delle meraviglie*. A un certo punto del film lei diventava grande e la testa usciva dal tetto della casa e le braccia dalle finestre. Di fronte a quella scena, ho preso coscienza che era ciò che stavo provando io. La mia casa era diventata troppo piccola per me, sentivo che non ci stavo più dentro. Dovevo andarmene, seguire anch'io il Bianconiglio. Ero stanco di quello che vedevo, sentivo, vivevo, stanco di quel lavoro, di quelle continue umiliazioni, stanco di sentire sempre le solite parole, le solite promesse di un futuro migliore, stanco di tutto. Stanco di scappare e rifugiarmi in camera come fosse un angolo da cui gridare: "Sto qui buono, non disturbo e non ho pretese, ma vi prego lasciatemi stare". Ero stanco di quel letto con i bordi in formica, con gli adesivi che anni prima avevo appiccicato; stanco della tapparella rotta, della piastrella scheggiata in bagno, stanco di nastri adesivi, corde, fiocchi, chiodi. Stanco di una vita rattoppata. Ero stanco anche di guardare il soffitto senza trovare risposte e soluzioni, senza trovare una via di fuga, un'alternativa. Stanco della mia impotenza. Stanco di essere *scontento*.

Mi sentivo soffocare, ma avevo voglia di riscatto. Per me, per mia madre e mio padre. Desideravo un destino generoso, o semplicemente fare qualcosa di me stesso. Da bambino mi faceva ridere vedere mio padre addormentarsi a tavola, ora invece mi terrorizzava, perché capivo che era il futuro che sarebbe toccato a me. Ero spaventato dall'idea di vivere così, avevo paura di quei giorni sempre uguali. Non mi sentivo a mio agio nella mia vita, come se fosse un vestito bagnato. La sensazione era quella, la stessa che si prova quando si esce dall'acqua con i vestiti addosso. Ho deciso di accettare il rischio, di fare il salto, di cambiare lavoro e lasciare il bar.

Il senso della vita non lo capivo, però avevo capito che la vita stessa era l'unica occasione che avevo per scoprirlo.

Passavo ore a pensare e a riflettere. Anche i libri avevo un po' abbandonato, perché non riuscivo a concentrarmi e sentivo che dovevo agire, che le letture dovevano trasformarsi in azioni, in atti di coraggio. A volte, però, pensavo di essere presuntuoso: chi ero io per aspirare a vivere diversamente dalla mia famiglia o da alcuni dei miei amici? Forse ero solo un ragazzo che non sapeva accontentarsi, un viziato. Ogni mia apertura verso qualcosa di diverso veniva liquidata da molti, e soprattutto da mio padre, come un'idea strana che mi ero messo in testa.

In quel periodo mi tornavano in mente cose che avevo letto in passato. Mi è venuto in mente Boccadoro: anche lui aveva un destino in qualche modo segnato, al quale aveva rinunciato e dal quale era scappato per seguire la propria natura.

Mi tornava in mente Ulisse nell'*Inferno* di Dante, che per nessuno dei suoi legami affettivi rinuncia all'ardore che ha di conoscere il mondo e gli uomini. Pensavo al capitano Achab di *Moby Dick*, che con il suo esempio m'incoraggiava ad andare fino in fondo e a non rinunciare mai. È stato l'uomo che mi ha insegnato una delle cose più importanti della vita: la nobiltà dell'intento, il coraggio di accettare il rischio sempre, senza paura. Mi veniva in mente anche una scelta estrema come quella del *Barone rampante*, perfetta per chi come me non si riconosceva più nella vita che conduceva. Rileggevo alcuni di quei libri cercando le risposte a tutte le mie domande.

È bello e affascinante leggere, ma rileggere è ancora più potente, per me. Quando rileggo l'interesse non è tanto verso la storia, che già conosco, ma per i mondi che avevo immaginato. Sono curioso di sapere se quelle immagini si ripropongono e si manifestano in me nello stesso modo, e soprattutto se sono ancora in grado di ospitarmi e lasciarsi abitare da me. Quando leggi un libro che ti piace, quelle pagine un po' ti cambiano; quando rileggi, sei tu che cambi loro.

In quei giorni ricordo che, come un segnale, mi è capitata in mano la frase del libro di Joseph Conrad, *La linea d'ombra*, che avevo sottolineato e che sembrava scritta apposta per me: "Ci si chiude alle spalle il cancelletto dell'infanzia, e si entra in un giardino di incanti. Persino la penombra qui brilla di promesse. A ogni svolta il sentiero ha le sue seduzioni". Poi

Lo zen e l'arte della manutenzione della motocicletta. È da questo libro che ho imparato che non c'è niente di più rivoluzionario al mondo che fare bene e con qualità quello che si sta facendo.

I personaggi, le frasi e le parole trovate nei libri sono come ponti che ti permettono di spostarti da dove sei verso dove vuoi andare, e quasi sempre è un ponte che unisce il tuo vecchio io a quello nuovo che ti attende.

Un giorno Carlo mi ha proposto un lavoro da suo zio. L'aveva fatto pure lui qualche volta, mentre studiava. La vita è veramente ironica a volte: il lavoro, infatti, consisteva nella riscossione di debiti. Io dovevo andare a recuperare soldi per conto delle aziende.

Ho accettato, però non sapevo come comunicare a mio padre la mia decisione. Il mio comportamento, allora, è stato violento e improvviso, uno strappo: senza dirgli niente, il lunedì mattina non mi sono presentato al bar. È stata mia madre a spiegare a papà il motivo della mia assenza.

Non me lo sono mai perdonato. Anche se sapevo che non avrebbe capito, avrei dovuto comunque dirglielo. Invece, così facendo, ho creato una situazione tesa e da quel giorno il nostro rapporto è cambiato. Per mio padre da allora sono diventato quello che temevo di diventare: un *traditore*.

La mattina uscivo di casa e facevo colazione in un altro bar. Ricordo come se fosse ieri quando quella prima mattina sono uscito dal portone del palazzo. Mi sono fermato un secondo dopo aver sentito il rumore della porta che sbatteva dietro di me. Un rumore secco, chiaro, deciso, che chiudeva per sempre una possibilità: quella del ritorno. Ormai ero fuori.

Soffiava un vento tiepido, e quel vento mi ha regalato subito una sensazione gradevole. Accarezzandomi il viso, mi dava piacere, ma non abbastanza da farmi stare bene. Perché avevo la sensazione di non meritarlo. Il dolore era profondo. Io ero un traditore, un egoista, un vigliacco che usciva di casa di nascosto. Avevo voltato le spalle alla mia famiglia. Soprattutto a mio padre. Che non ha tardato un giorno a dirmi: «Hai abbandonato la nave».

In casa, la sera, non aprivo quasi più bocca. Mia madre mi chiedeva del nuovo lavoro, ma io mi sentivo in imbarazzo a parlarne davanti a mio padre, che ormai non mi rivolgeva più la parola. Tra me e lui sono iniziati a mancare i discorsi, poi le frasi, poi le parole e alla fine anche le spiegazioni, i chiarimenti. A volte dicevo una frase e capivo che poteva essere interpretata male, ma se l'avessi spiegata sarebbe sembrata ancora più sbagliata. In questo modo idee e convinzioni errate rendevano le nostre vite sempre più lontane. A volte per recuperare un po' sarebbe bastato un "non è come pensi, forse mi sono spiegato male...", invece si lasciava tutto com'era. Bisognerebbe impedire alle persone di interpretare i silenzi. Noi non lo abbiamo fatto e ci siamo allontanati sempre di più.

Il nuovo lavoro era presso una società di gestione e recupero del credito. Quando mi sono presentato il primo giorno per capire cosa dovevo fare, ho subito chiesto: «Devo andare in giro a picchiare la gente?». Fortunatamente la risposta è stata "no". Ma era comunque strano che dopo anni di debiti famigliari mi trovassi a fare quel lavoro.

Passavo la mia giornata a telefonare a gente che doveva soldi ai più svariati clienti, cercando di capire se il mancato pagamento fosse dovuto al fatto che non avessero i soldi oppure per errori di consegna o merce difettata. Nella maggior parte dei casi erano scuse per ritardare il più possibile il pagamento. Quelle persone le fiutavo a distanza, conoscevo quell'odore, chi meglio di me poteva capirli? Li aiutavo come potevo.

Tutto quello da cui cercavo di scappare mi si ripresentava continuamente, sembrava la legge del contrappasso. Il mio passato era sempre lì, ero circondato dai miei fantasmi.

Ogni volta che una persona mi doveva dare i soldi, mi ritrovavo davanti mio padre. Ero gentile con quelle famiglie e cercavo di aiutarle. Una volta ho bussato alla porta di un appartamento in uno scantinato e mi ha aperto una signora, che viveva da sola con la figlia. Mi hanno fatto entrare.

«Prego si accomodi, vuole un caffè, un bicchiere d'acqua? Purtroppo non ho altro.»

«Niente grazie.»

«Guardi che il caffè lo stavo facendo per me, e se vuole...»

«Se lo stava già facendo, allora sì. Grazie.»

Mi ha servito il caffè chiedendomi quanto zucchero. La figlia stava seduta sul divano, in silenzio, e mi guardava. Avrà avuto più o meno quindici anni, un viso spento, ma dai lineamenti molto belli. Quell'espressione la conoscevo, era la stessa che avevo io quando venivano al bar a pignorarci le cose.

La povertà è vergogna, ma quel giorno io mi vergognavo più di loro. Mescolavo il caffè mentre la signora mi spiegava che avrebbe pagato un po' alla volta, di non preoccuparmi, che erano persone oneste e la figlia aveva trovato un lavoro nel fine settimana in una pizzeria, anche se non era stato facile perché era molto giovane. Io mi vergognavo sempre di più, mi facevo schifo, mi sentivo in colpa e avrei preso quelle due donne e le avrei portate a casa con me, se avessi avuto la possibilità di farlo. Mi faceva male sentire quelle parole.

A un certo punto, mentre stavo per decidere con lei quante rate, mi sono bloccato. Ho alzato lo sguardo che si è posato su una macchia di umidità simile a quella che c'era nella cucina di casa mia e, dopo un attimo di silenzio, ho detto: «Signora, il debito da questo momento non c'è più. Lei non si deve preoccupare, non tornerò. Nessuno tornerà più».

«Com'è possibile?»

«Non si preoccupi.»

La signora non ci credeva; per essere sicura di aver capito bene me lo ha chiesto altre quattro volte. Le ho spiegato che era tutto a posto e le ho ribadito di non preoccuparsi. Ha iniziato a ringraziarmi, mi ha preso le mani tra le sue con le lacrime agli occhi. Ha detto a sua figlia: «Ringrazia il signore, ringrazia il signore» e poi ha aggiunto, rivolta a me: «Lei è un angelo».

Io non ero ancora in grado di gestire la mia emotività. Il mio legame con il mondo era ormai circoscritto ai rapporti professionali. Non avevo lasciato molto spazio alle relazioni umane vere, per questo quando mi capitavano situazioni come queste mi ritrovavo impreparato, senza difese, fragile. Stavo male. Sono uscito da quello scantinato che mi veniva da vomitare. Mi sono chiuso in macchina e ho iniziato a piangere, non riuscivo a smettere. Tremavo e singhiozzavo.

Arrivato in ufficio, ho chiuso la pratica a perdita. Ho fatto una breve relazione alla banca in cui spiegavo che non c'era possibilità di recupero e dichiaravo che non c'erano più tracce dei debitori. Per una banca non era un gran problema; con cifre del genere mettevano senza problemi a bilancio la perdita e avevano anche la possibilità di defiscalizzarla.

Mi è capitato di farlo altre volte, ma non sempre potevo. Quando lo facevo, le persone mi guardavano con una gratitudine negli occhi che mi dava forza e allo stesso tempo mi faceva vergognare. Mi chiedevano se volevo fermarmi a cena da loro. Mi regalavano salami, formaggi, bottiglie di vino. Anche se con il passare del tempo ne vedevo tante di situazioni così, non riuscivo ad abituarmi. Tutto mi faceva schifo. Io mi facevo schifo. Ho iniziato a odiare quel lavoro e alla fine mi sembrava di averlo scelto solo per punirmi. Mi facevo pagare uno stipendio per farmi del male.

Dovevo ammettere che il mio primo tentativo di indipendenza si era rivelato doloroso. Non mi piacevo, mi odiavo; nemmeno i miei amici sapevano quanto stavo male in quel periodo. Non ne parlavo mai, non sarebbe servito a nulla. Nessuno può entrare nella solitudine di un altro.

Anche a casa parlavo sempre meno, e mai del mio lavoro; infatti, se raccontavo di gente che aveva debiti, mio padre mi diceva frasi come: "Hai visto? Sono tutti così, non solamente noi" e io mi infastidivo. A cena stavo seduto in silenzio un quarto d'ora, poi mi alzavo con l'ultimo boccone ancora in bocca e masticando mi rintanavo in camera mia.

Incanalavo tutto il mio dolore nel lavoro e la società era contenta di me. Mi facevano sempre molti complimenti. Io, però, ormai mi ero convinto che lo avrei fatto ancora per un anno e poi me ne sarei andato.

A volte la gente non pagava con la scusa che la merce era fallata e il mio compito era di controllare che fosse effettivamente così. Ho chiesto alla società di darmi pratiche più importanti, con cifre più elevate. Per seguire le nuove pratiche, ho iniziato a muovermi per tutta l'Italia. La prima trasferta la ricordo ancora. Ho passato una mattinata in un magazzino a contare bambolotti Sbrodolino, pisciolina e cose del genere. Dovevo controllare che sbrodolassero e facessero la pipì veramente. Spesso durante quelle operazioni pensavo a mio padre e a cosa avrebbe pensato vedendomi lì, seduto per terra, con uno scatolone di bambole al mio fianco.

«Questa sbrodola, questa no, queste sì, questa no...»

Lavoravo sempre fino a sera tardi. Quando ero nelle grandi città trovavo sempre qualcosa da fare dopo il lavoro: una passeggiata per prendere un po' d'aria, o una sigaretta sulla scalinata di una chiesa.

Ma quando capitavo nei paesini sperduti e anche la cucina dell'hotel era chiusa, alle nove finivo le mie tristi giornate mangiando in camera d'albergo patatine e arachidi dal frigo bar. Quando c'era. Magari in mutande e calzini, guardando la televisione. A volte mi bevevo in un sorso tutte le mini bottigliette di alcolici. Per gustarmi meglio la sigaretta, per sentirmi vivo, un po' rock 'n' roll. Per illudermi che non ero uno che lavorava e basta, ma che si divertiva anche, nella vita.

Quando invece arrivavo presto riuscivo a mangiare al ristorante dell'hotel. Una vera tristezza. Solo, con mezzo litro di vino rosso sfuso, nella sala insieme ad altri uomini soli come me, tutti con la testa alta verso il televisore appeso all'angolo della stanza, rosicchiando grissini in attesa della cena.

14
Lei (che è entrata nella mia vita)

L'amore è come la morte: non si sa quando ci colpirà. La morte non si può evitare, ma un controllo possiamo averlo: per esempio possiamo decidere il momento. L'amore no, non è possibile pianificarlo, non si può decidere di amare. Viviamo senza poter sapere quando la donna o l'uomo che ci sconvolgerà entrerà nella nostra vita. Potrebbe arrivare, come purtroppo è successo a me, quando ormai non si è più nemmeno capaci di amare. Ci sono periodi in cui ci piacerebbe essere sconvolti da qualcuno, ma non è detto che la semplice forza del nostro desiderio ce lo faccia incontrare. È come quando si esce per fare shopping, spinti dal desiderio di comprare qualcosa, ma non si sa cosa. Potrebbe essere un libro, una sciarpa, un paio di occhiali o un profumo, ma a volte succede che "non ho preso niente, perché non ho trovato nulla di interessante".

Prima di incontrare lei avevo mille storie in ballo, mille avventure. Mi piaceva vivere così, il fascino della novità è stato per anni come una droga cui non potevo rinunciare. Poi è arrivata lei e ho sentito che stava succedendo qualcosa di diverso. Tanti particolari mi hanno fatto capire che con lei non era come con le altre; uno di questi era che quando le parlavo non mi andava di scegliere le parole, ma solo di dire tutto quello che sentivo e provavo. Con lei ho capito che mi sarei dovuto fermare, ma poi, invece di amarla fino in fondo, mi sono accorto che era arrivato il conto da pagare: ho scoperto che non ero più in grado di amare. Se qualcuno mi avesse chiesto se la amavo, avrei risposto "sì". In fondo, però, non sapevo se l'amavo veramente.

Mentre cercavo di capire se ero ancora capace di farlo, ho iniziato a fingere l'amore. La capacità di fingere l'avevo già sperimentata ed era ormai un'abitudine per me. Ci riuscivo bene, avendo finto per tutta la vita. Pensavo che sarebbe stato facile anche con lei. Solitamente le persone che fingiamo di amare imparano ad accontentarsi, forse perché, anche se l'amore che si riceve non è vero, è però vera l'offerta, l'intenzione. Il volere, il desiderio di farlo.

Invece d'ingannare lei ho ingannato me stesso. Perché a un certo punto ci ho creduto veramente. L'odio non si può fingere, l'amore sì. Anche se non per molto. Per assurdo l'amore che fingevo era la cosa più vera della mia vita.

Nelle storie spesso succede che prima si sta bene poi si sta male. In alcuni casi "si sta". Si sta e basta, né bene né male. Noi no. Perché lei piuttosto che "stare" ha preferito andarsene. A lei non bastava più l'intenzione, l'offerta, il desiderio di farlo. Come dice Byron: "Nella sua prima passione la donna ama il suo amante, in tutte le altre ciò che ama è il suo amore". Il mio vero amore tardava ad arrivare. E lei stava mettendo la sua vita nelle mie mani. Troppa responsabilità, troppa fragilità, troppa paura. Accogliere la vita di una persona tra le proprie braccia significa molto, forse troppo per me. Significa prendersi tutto: i suoi sogni, le sue paure, i suoi desideri, il suo modo di pensare, i suoi valori, il suo modo di amare, di fare l'amore, di parlare. Perfino gli orari del suo lavoro. Il suono della sua sveglia, che la mattina suonava prima della mia.

Adesso che sono cambiato, però, e che ho capito molte cose, la rivorrei qui con me. Per questo l'ho chiamata, perché magari il treno non l'ho perso del tutto. Come quando scendendo le scale per prendere la metropolitana sento il treno che arriva e corro pensando che sia quello che devo prendere, invece mi sbaglio ed è quello dall'altra parte. Magari il mio con lei non è ancora partito, è ancora lì con le porte aperte.

Alla fine sono passati due anni, ma ancora la cerco e ci penso. Cosa mi manca di lei? Mi manca soprattutto il futuro. Nel senso che mi mancano tutte le cose che ancora non so e che vorrei scoprire con lei. Mi manca tutto ciò che avremmo potuto vivere insieme.

Mi manca sentire sulla schiena il suo seno e il caldo del suo corpo quando al mattino, dopo aver spento la sveglia, si avvicinava a me. Mi manca molto abbracciarla da dietro e tenere il suo seno nella mano. Tutti gli incastri tra braccia e gambe al mattino sono una dose di tranquillanti. Mi manca fare l'amore al risveglio, quando ti baci con la bocca chiusa, e mi manca l'odore della sua pelle. Mi manca quando la sera a letto mi scriveva sulla schiena le sue confessioni d'amore e io dovevo capire le parole. Cercare nel dormiveglia un piccolo contatto. Che non è starsi addosso, è un'altra cosa, è un piccolo sentire, semplice calore appoggiato. È aggrapparsi con delicata consistenza alla felicità di saperla lì, al tuo fianco. Mi mancano quei momenti in cui lei appoggiando due dita al polso della vita si assicurava che il nostro battito fosse giusto e mi rassicurava. Mi manca trovarla a casa quando rientro e sentire il profumo di quel che sta cucinando.

Ancora adesso mi ritrovo certe sere a fare liste ed elenchi di cosa mi manca, di cosa è cambiato e cosa ho perso. Mi fa male, ma alla fine mi fa sentire vicino a lei. E dal momento che lei mi ha lasciato per colpa mia e non perché non mi amava più, leggo e rileggo la frase di Ovidio e penso che quelli come me esistono da sempre: "Non posso vivere con te né senza di te".

Se Nicola fosse stato amico di Ovidio, dopo questa frase lo avrebbe mandato a quel paese.

15
Aria nuova dalla finestra

Lavoravo tanto e cercavo di spendere il meno possibile. Davo dei soldi in casa e mio padre, ogni volta, diceva che non voleva niente. Poi, però, li prendeva.

Ormai la nostra comunicazione era ridotta a un saluto. Nemmeno a voce, bastava un cenno con la testa. A quel punto ero diventato più duro di lui, più chiuso. La pratica l'avevo quasi del tutto archiviata. Quello era il nostro rapporto: ogni tanto si facevano dei gesti, dei tentativi di riavvicinamento, ma la ferita era ancora troppo fresca. Bisognava che il tempo facesse il suo corso. Dovevamo stare ancora male, in quello siamo riusciti a non deluderci.

Un giorno, dopo la pausa pranzo passata a sollevare pesi, sono andato al bar della palestra e ho ordinato un'insalata, un petto di pollo e del riso in bianco. Imitavo quelli che la palestra la facevano seriamente. È durato poco il mio matrimonio con il mondo dei bilancieri, anche se in quel periodo mi sfogavo per bene sollevando pesi. Mentre sorseggiavo una Fanta, un signore seduto al tavolo di fianco al mio mi ha chiesto: «Sai come è nata l'aranciata Fanta?».

Mi sembrava una domanda bizzarra, per di più fatta da uno sconosciuto.

«No, non lo so.»

«L'ha inventata Max Keith, in Germania, per non perdere quote di mercato quando, durante la Seconda guerra mondiale, la Coca-Cola, in quanto azienda americana, non poteva più vendere la sua bibita nei territori tedeschi. Non c'era scritto da nessuna parte sulle bottiglie che era prodotta sempre dalla Coca-Cola e così poteva essere distribuita in Germania. E sai perché si chiama "Fanta"?»

«Non ne ho la minima idea...»

«Si chiama così dalla parola "fantasia", perché l'inventore riteneva che occorresse molta immaginazione per sentire il gusto di arancia in questo strano miscuglio, visto che si otteneva con dei sottoprodotti delle marmellate e del formaggio.»

Lo sconosciuto si chiamava Enrico. Abbiamo iniziato a parlare e abbiamo mangiato insieme. Da quel giorno siamo diventati amici. Era preparato su tutto. La sua cultura passava da nozioni di geopolitica, architettura, arte, letteratura, alla storia della Fanta o al motivo per cui le carote sono arancioni. Molte delle cose di cui parlava, io non le conoscevo. Per esempio non sapevo che l'attuale colore delle carote non è naturale, ma è stato creato dall'uomo. Sono stati gli olandesi, infatti, a far diventare arancioni le carote in onore della dinastia Orange.

Ricordo che il giorno del nostro primo incontro gli ho chiesto: «Vuoi dirmi che una bevanda all'arancia non contiene arance?».

«Il succo di frutta per chiamarsi "succo" deve avere almeno il dodici per cento di quel frutto, ma la bevanda "al gusto di" spesso non ne contiene nemmeno in minima parte. I gusti si fanno in laboratorio, unendo molecole di aromi. Per esempio, se metti su una spugna l'aroma agrumi con l'aroma burro, annusando penserai che è un panettone. Se annusi due bastoncini, uno bagnato al sapore di patata e uno al sapore di fritto penserai che sono due patatine fritte. Gli alimenti affumicati, tipo i würstel, si ottengono con l'aggiunta del gusto "fumo". C'è n'è anche uno che sa di piedi.»

«Di piedi?»

«Certo. Si chiama acido butirrico, si trova in alcuni formaggi stagionati e nel vomito, e nei laboratori viene indicato come "aroma piedi".»

«Ma che schifo...»

«Lo so, detto così fa schifo, ma il sapore di piedi si usa anche per creare l'aroma vaniglia, o l'aroma fragola, o l'aroma panna. Molte delle cose che mangi e bevi.»

Ci allenavamo insieme in palestra benché nessuno dei due fosse molto convinto. Lui più che sollevare pesi correva sul tapis roulant. Era un grande lettore di libri e le chiacchierate con lui erano sempre interessanti. Aveva una passione smodata per l'opera. Quando andavo a casa sua c'era sempre un pezzo di un'opera a tutto volume. Mentre cucinava con il cucchiaio di legno in mano andava verso lo stereo e, alzando il volume, mi diceva: «Senti, senti qui cosa dice...».

Quanto è bella, quanto è cara!
Più la vedo, e più mi piace...

ma in quel cor non son capace
lieve affetto ad inspirar.
Essa legge, studia, impara...
non vi ha cosa ad essa ignota;
io son sempre un idiota,
io non so che sospirar.
Chi la mente mi rischiara?
Chi m'insegna a farmi amar?

«Che cos'è?» chiedevo io, totalmente ignorante.

«È *L'elisir d'amore* di Donizetti.»

Mi piaceva parlare con Enrico. Anche lui con me stava bene, mi cercava spesso. Amava darmi consigli su come comportarmi con le donne. Era divertente e sempre ironico. «Prima di togliere i vestiti a una donna, devi spogliarla iniziando dai gioielli: collane, orecchini, braccialetti e anelli. I baci all'orecchio senza orecchini sono meglio e poi senza gioielli non si rischia di rimanere incastrati in qualche ricordo del loro passato. Soprattutto negli anelli, regalati da qualche ex. L'unico gioiello che puoi lasciare è il filo di perle. Ma non è un tuo problema, viste le donne con cui esci... Le mutande è meglio non toglierle, fidati. A loro piace. A volte è meglio spostarle. Non toglierle anche se le baci lì, baciale sulle mutande per qualche minuto. Falle sentire il calore del tuo respiro. E se una donna fa così con te e inizia a baciarti da sopra le mutande, beh allora sarà una grande serata. Come quelle che non si levano le calze o le scarpe. Quelle sì che ne sanno. Ma il grande il segreto è: tocca come una donna e bacia come un uomo.»

«Cioè?»

«Quando le tocchi, fallo come se tu fossi una donna e sii delicato, ma quando baci, fallo da maschio.»

Un giorno, mentre mangiavo un'insalata in uno dei nostri pranzi dopo la palestra, mi ha chiesto: «Perché non vieni a lavorare da me?».

Aveva un'agenzia di pubblicità.

«Non credo di essere all'altezza. Non ho nemmeno studiato, ho solamente la terza media. A meno che ti serva uno a fare le pulizie...» gli ho risposto.

«Mi serve un tipo sveglio e intelligente, e non basta una laurea per esserlo. Tu lo sei.»

«Ah, grazie, ma non so...»

Enrico era la prima persona che non aveva la solita reazione quando dicevo di avere solo la terza media. Era stato l'unico a non dargli importanza. Mi ha spiazzato e non sapevo che dire, ma il mio silenzio è stato interrotto dalle sue parole: «La scuola quasi sempre non premia le persone intelligenti, piuttosto quelle con buona memoria. Avere buona memoria non significa essere intelligenti. Tra l'altro per la scuola e per l'università può bastare anche quella a breve termine. Comunque pensaci».

«Vuoi che venga a fare un colloquio da te?»

«L'hai già fatto. Per me vai bene. Conosci il cinema, la musica, la letteratura e soprattutto sei una persona curiosa. Sei pieno di interessi e, per come parli, per la tua ironia, per il tuo modo di essere brillante, per come esprimi i concetti saresti un bravo copywriter. Ti spiego due cose ed è fatta. Sei un tipo sveglio, non avrai problemi. Non mi devi dare una risposta subito. Pensaci. Se dici di no, amici come prima, per me non è un problema. Mi piacerà sempre passare del tempo con te. Se però rinunci solo perché non hai studiato, sbagli.»

«Va bene, ci penso.»

«Conosci B.B. King e Muddy Waters?»

«Sì.»

«Sono bravi per te?»

«Numeri uno.»

«Beh, non sanno leggere uno spartito. Non hanno idea di come si legga la musica. Come diceva Bill Bernbach: le regole sono quelle che l'artista spezza; nulla di memorabile è mai uscito da una formula. E poi la grandezza nella vita sta nel cercare di esserlo...»

«Cosa?»

«Grandi! Questo fa la differenza.»

«Non so chi sia Bill Bernbach.»

«Se lavoreremo insieme lo imparerai. Comunque al di là di tutto te lo ripeto: se il problema per te è veramente la paura di non sapere, non preoccuparti. Tu mi servi per comunicare e si può comunicare anche senza sapere. La conoscenza serve per informare. Se poi vorrai anche informare, farai sempre in tempo a studiare. E adesso offrimi un gin tonic.»

«Ma siamo al bar della palestra e sono le due del pomeriggio...»

«Eh, lo so, ma oggi va così.»

Dopo circa un mese e mezzo da quella chiacchierata lavoravo da lui. Mi ha insegnato tutto quello che dovevo sapere del mio nuovo lavoro. Come mi aveva promesso, ho poi scoperto chi era Bill Bernbach e la sua "rivoluzione creativa". Ho conosciuto tanti altri nomi importanti per il mondo della pubblicità.

Enrico mi dava un sacco di libri da leggere che parlavano di comunicazione e marketing. Anche libri di semiotica. Mi mandava a fare dei corsi, dei seminari, dei workshop. Io studiavo e imparavo. All'inizio più che altro portavo dei caffè, o sistemavo cataloghi, mandavo lettere, organizzavo insieme alla sua segretaria gli appuntamenti. Non facevo le pulizie, ma ci mancava poco. Tuttavia stare al suo fianco e vederlo lavorare è stata una vera scuola per me. Ho imparato molto in quel periodo, cose che mi sono servite per tutta la vita.

Dopo un mese mi ha affidato il primo lavoro: cartellonistica per una catena di supermercati della città. *Supermark... il posto più bello dove spingere il carrello.* Questo è stato il mio primo *claim*.

Da Enrico guadagnavo bene, più di quando facevo il recupero crediti. Ho lavorato nella sua agenzia per circa quattro anni con crescenti soddisfazioni. Ho vinto anche dei premi. L'ultimo era per la campagna di lancio di una macchina del caffè espresso. Faceva così:

In lontananza, su un piedistallo bianco come fosse un'opera d'arte, è inquadrata una macchina del caffè. Il caffè scende nella tazzina. Con l'uso dello zoom, l'inquadratura avanza mentre sullo schermo compaiono delle frasi.

"Entro sei mesi la gente si stancherà di stare a guardare quella scatola di legno chiamata TV."
Darryl F. Zanuck, presidente della 20th Century Fox. 1946.
"Lasciamo perdere: con un film così non si incassa neppure un cent."

Irving Thalberg, direttore della Metro Goldwyn Mayer, a proposito del film *Via col vento*. 1936.

"Non li vogliamo. La loro musica non funziona e le band che usano chitarre sono fuori moda."
Un portavoce della Decca Records riferendosi ai Beatles. 1962.

"La band è okay. Ma liberatevi di quel cantante, con quei labbroni potrebbe spaventare le ragazze."
Andrew Loog Oldham, produttore di programmi per la BBC, a proposito dei Rolling Stones. 1963.

"La fama di Picasso sfiorirà rapidamente."
Thomas Craven, critico d'arte. 1934.

L'ultima frase compare quando nell'inquadratura c'è la macchina del caffè in primo piano. Si vede lentamente scendere l'ultima goccia di caffè.

«Il caffè più buono è solo quello fatto al bar.»

Dopo questo spot sono stato contattato da un'importante agenzia di pubblicità con sede a Milano. Mi hanno chiesto di iniziare da loro il prima possibile. Non sapevo come dare la notizia a Enrico: mi sembrava si riproponesse la stessa dinamica tra me e mio padre. Quando alla fine sono riuscito a dirglielo, mi sono accorto che c'è rimasto male, ma non mi ha detto nulla. Io, come sempre, mi sono sentito egoista, ma non volevo rinunciare a quell'occasione.

Enrico mi ha detto che sapeva che prima o poi sarebbe successo ed era giusto così. «Io ho avuto la possibilità di andarmene da qui, ma ho preferito rimanere e fare il pesce grosso d'acquario. Tu, invece, sei fatto per nuotare nel mare e ci riuscirai. Non sentirti egoista, non lo sei. E poi ricordati che tutti criticano l'ego, ma sono pronti ad applaudire chi si è distinto grazie a quello. Dammi solo un paio di settimane per organizzarmi.»

Ho cominciato a lavorare nella nuova agenzia e i primi tempi nei weekend aiutavo Enrico cercando di chiudere i progetti che avevo iniziato. Dopo un paio di mesi mi ha detto che aveva deciso di vendere l'agenzia. Dopo la mia partenza riteneva non avesse più senso per lui continuare, non aveva nessuno che volesse portare avanti l'agenzia. Dopo meno di un anno ha venduto ed è andato a vivere a Formentera. Vado spesso da lui, soprattutto d'estate.

Il primo giorno di lavoro nella nuova agenzia è stato strano. Il capo mi ha chiamato nel suo ufficio e mi ha detto: «Non devi fare niente. Non ti assegnerò nessun lavoro per un po'. Vieni qui la mattina, ti siedi alla scrivania, passeggi nei corridoi, se vedi una riunione chiedi di partecipare, ma senza dire nulla. Guarda, studia, leggi, ascolta. Fai quello che ti pare. Non lavorerai a nessun progetto. Devi solo respirare l'aria dell'ufficio. Il tuo compito adesso è di fare la pianta».

«Va bene.»

Ero confuso, ma così ho fatto. Per settimane sono andato a *nonlavorare* tutte le mattine. Claudio, il capo, era molto conosciuto nell'ambiente e considerato praticamente un genio. Affascinante, affabulatore, seduttore, intelligente, ironico, carismatico: una di quelle persone che anche se sono sedute in silenzio attirano l'attenzione. Tutti lo rispettavano e molti ne avevano timore. Quando la sua segretaria chiamava qualcuno di noi, tutti alzavano la testa per guardare il nominato, perché Claudio poteva comunicarti una cosa bella o trasformarti in una sorta di *dead man walking*. Aveva la capacità di gasarti o di distruggerti. Andavi in ufficio da lui e potevi uscirne pensando di essere Dio o una nullità.

Claudio metteva a disposizione dei nuovi assunti degli appartamenti per il primo anno e io sono andato a vivere con un ragazzo che si chiamava Tony.

Dopo il mio praticantato come vegetale, il capo mi ha affidato un lavoro, affiancandomi a un art director, Maurizio. Prima che uscissi dal suo ufficio, mi ha detto una frase che non ho mai dimenticato: «Ricordati che il talento è un dono, ma il successo è un lavoro».

Mi ricordo tutte le frasi che diceva. Alcune erano sue, altre citazioni famose. Spesso erano anche ottimi consigli: «Non sempre premia mostrare le proprie virtù. A volte è meglio nasconderle».

«Spesso i simpatici sono insopportabili.»

«Anche l'arte, per essere totale libertà, deve essere calcolata.»

«Qualcuno di noi discende dalle scimmie, altri ci si avvicinano crescendo.»

«Ogni muro è una porta.»

«L'insoddisfazione crea lavoro.»

Quando ho consegnato il primo progetto, è stato un miracolo se non mi ha sputato in faccia. Era un vero disastro. Quella sera non ho dormito. Non era semplice come con Enrico.

Dopo quel primo fallimento ero terrorizzato, confuso, più insicuro di prima. Al mattino entravo in agenzia camminando a testa bassa. Già il fatto di venire da una città di provincia non era facile. Quando da una piccola città ti sposti in una grande, ti porti dietro tutte le paure di essere inadeguato, non all'altezza. La provincia un po' ti fa vergognare. Magari nella città in cui sei cresciuto puoi essere diventato qualcuno, ma spesso sei semplicemente un pesce grosso d'acquario. Io avevo lasciato l'acquario ed ero andato a misurarmi con i pesci del mare. Subito la mia dimensione si era rimpicciolita, e ogni giorno, anche nelle piccole cose, era sempre una battaglia, una lotta.

In città, appena le persone prendono confidenza, iniziano a sfotterti o a fare battute per come pronunci una parola. Devi reimpostare nel cervello alcune parole lavorando sulla apertura e chiusura delle vocali. In città vieni giudicato per tutto, anche per come ti vesti. Ti fanno sentire un disadattato e, per assurdo, lo diventi veramente quando torni nella città da cui provieni.

C'è un periodo in cui vivi in una terra di mezzo. Durante la settimana, a Milano, mi sfottevano per la mia pronuncia, quando tornavo a casa nel weekend le persone che incontravo mi dicevano che ormai parlavo con l'accento milanese. Non avevo più un posto mio. Quando stavo a Milano ero di provincia, quando tornavo in provincia ero uno di città e parlavo così perché ormai mi ero montato la testa. In quel periodo, prima di dire una parola, dovevo ricordarmi in che posto mi trovavo per capire come aprire o chiudere le vocali.

Sembra strano, ma se te ne vai dalla tua città ci sono persone che la prendono come una cosa personale, come un rifiuto, un abbandono, un dispetto, e si sentono ferite, offese, trascurate. Come se te ne fossi andato perché le disprezzi o perché ti ritieni superiore a loro. Si sentono rifiutati e iniziano a prenderti in giro facendo le vittime: "Beh, sai, noi siamo gente di provincia, non come te che vivi a Milano...".

Rimanere da solo per me era facile, c'ero abituato. Ho iniziato a non tornare qualche weekend, tanto non è che perdessi grandi cose. Nella città da cui provengo è sempre la stessa storia, i soliti discorsi, il solito bar. Non vedendomi in giro, dopo un po' i miei amici hanno iniziato a dire che li snobbavo e che me la tiravo, e che la mia città ormai mi stava stretta. Non c'era soluzione.

Io invece penso semplicemente che se vivi con più stimoli, in mezzo a persone diverse, in ambienti più vari, il tuo modo di pensare cambia. È curioso come nelle grandi città vieni giudicato per ciò che fai, in provincia per ciò che sogni di essere.

In realtà mi rendevo conto che i miei vecchi amici sembravano non essere interessati a comprendere il mondo. Già le persone di un'altra compagnia o di un'altra città diventavano "chisseneimporta-nonèdeinostri": una visione del mondo in cui lo sconosciuto è già di per sé un nemico. Sembrava che l'equazione fosse: "Non guardo il mondo perché il mondo non guarda me".

Non volevano cambiare, e il fatto di non essere interessati ad avere uno sguardo più ampio sulla realtà, a sognare almeno una vita diversa, li portava a dire di essere annoiati; quello bastava per farli sentire coscienti. Dichiararlo li tranquillizzava. In quella noia si riconoscevano.

Ogni emozione sembrava priva di significato, vuota, fine a se stessa. C'era qualcosa in quel modo di vivere che appiattiva e livellava tutto, che uccideva le sfumature e rafforzava le certezze e le convinzioni. I miei vecchi amici avevano da sempre più risposte che domande.

Ero pienamente d'accordo con le parole di Camus: "Girando sempre su se stessi, vedendo e facendo sempre le stesse cose, si perde l'abitudine e la possibilità di esercitare la propria intelligenza e lentamente tutto si chiude, si indurisce, si atrofizza come un muscolo".

Io invece volevo correre. L'intelligenza che ogni persona possiede marcisce se non gli viene data la possibilità e l'occasione di applicarla in qualcosa.

Le persone che frequentavo a Milano, anche se mi prendevano in giro, erano diventate per me dei punti di riferimento. Soprattutto Tony. In agenzia tutti dicevano che sarebbe diventato un grande copywriter. A vent'anni aveva vinto un premio importante ed era considerato un prodigio: quella vittoria si era trasformata in un caso nel mondo della pubblicità. Era la grande promessa. Io gli parlavo sempre con grande rispetto, anche se avevamo solo due anni di differenza. Lo ammiravo, era simpatico, naïf, e aveva quel non so che di internazionale. Piaceva a tutti. Anche a me. Parlava bene inglese, aveva studiato a Londra. Io invece ero un disastro con le lingue e quando lui tornava a casa con qualche modella e parlavano inglese stavo zitto: anche quelle poche parole che sapevo, non riuscivo a tirarle fuori. Ero intimorito e non volevo fare figure con la mia pronuncia sbagliata. Così ho deciso di iscrivermi a un corso e ho iniziato anche a vedere ogni sera film in lingua originale. Le prime volte non capivo nulla. Non ho visto un film in italiano per quasi un anno. Alla fine sono migliorato parecchio.

Tony restava sveglio la notte e non arrivava in ufficio prima delle undici, a volte anche a mezzogiorno. Spesso la sera, mentre cercavo di addormentarmi, sentivo la musica dalla sua stanza e le chiacchierate interminabili con i suoi amici. A volte rimanevo con loro, ma a una certa ora capivo che era meglio per me andare a dormire.

Tra le donne che Tony frequentava c'era una modella olandese bellissima, per la quale ho perso la testa fin dalla prima volta che mi ha rivolto la parola. Era innamoratissima di Tony, ma a lui non importava molto. Spesso la sentivo piangere e più di una volta, dopo un litigio, lui l'ha buttata fuori di casa. Io speravo che non tornasse più perché mi dispiaceva. In verità ogni volta speravo che lei uscisse da camera sua e venisse a chiedere asilo politico nella mia. Ma non è mai successo.

Studiavo e lavoravo, mi concedevo poche cose al di fuori di questo. Quando non lavoravo e non studiavo, cercavo di vivere la vita che avrei voluto vivere: la loro. Perché della mia ancora mi vergognavo.

Mi vergognavo quando rientravo la domenica sera con quello che mia madre aveva cucinato per me: ragù, verdure cotte, involtini oppure salame nostrano, taleggio, scamorze. Tutte cose che mettevo nel frigorifero se ero solo in cucina, altrimenti le lasciavo nascoste in borsa in camera finché non si liberava la via tra la camera e il frigo. Tony e i suoi amici mangiavano cinese, brasiliano, messicano, indiano e addirittura già il sushi.

Mi vergognavo anche quando, tutte le sere, mia madre mi chiamava al telefono per sapere come stavo; mi sembrava di essere un bambino e, se ero in casa con Tony, a volte non rispondevo. Altre volte, invece, la trattavo con sufficienza. Lei mi telefonava per farmi sentire il suo amore e io invece di ringraziarla la trattavo male. Ma poi, prima di addormentarmi, pensavo: "E se muore questa notte?". Avrei voluto richiamarla perché mi sentivo in colpa, ma ormai era tardi e lei dormiva già. Lei che mi aveva chiamato per sapere se andava tutto bene e per ricordarmi di portare a casa i vestiti sporchi, che me li avrebbe lavati lei. Quando glieli portavo, il venerdì sera, il giorno dopo a pranzo erano già lavati, stirati e piegati. Non ho mai capito come facesse, forse passava la notte ad asciugarmeli alitando. Mah. Segreti di mamma.

Guardavo i ragazzi di città e osservavo come si vestivano, cercando di copiare il loro stile. Mi snaturavo per essere simile a loro. La mia scarsa autostima non mi faceva sentire all'altezza e gli altri mi sembravano sempre più bravi e più capaci di me. Anche quelli che in realtà non lo erano. Iniziavo a vivere vite altrui e vedevo la vita attraverso i loro occhi, pensavo con le loro teste, parlavo con le loro parole.

Finché un giorno Claudio, vedendo che stavo cambiando, mi ha fatto chiamare in ufficio.

«Voglio darti un consiglio, poi tu fai come ti pare. La tua forza è l'autenticità. Non sforzarti di essere ciò che non sei, ma lotta per rimanere ciò che sei. Tu non devi cercare niente, hai già tutto; fidati, devi solo prendere coscienza di te stesso. Credici di più, prova ad avere un po' più di autostima. Non devi cercare un linguaggio nuovo, bensì imparare ad ascoltare quello che già possiedi. Difendi la tua spontaneità e nel frattempo otterrai anche la naturalezza che si acquisisce nel tempo con la fiducia in se stessi. Ricordati che vivere è l'arte di diventare quello che si è già.»

Mi ha congedato regalandomi un libro, *L'arte della guerra* di Sun Tzu.

Claudio aveva colpito nel segno. Col tempo ho capito che mi stava insegnando delle cose importanti, che mi metteva sotto pressione per misurarmi, per conoscere la mia resistenza, per motivarmi, ma all'inizio vivevo solo la delusione di non avercela fatta: non capivo che quelle sue sgridate erano un percorso che mi stava facendo fare.

Quella sera, a casa, ho cercato di reagire e mi sono messo ai fornelli con l'idea di cucinare qualcosa, mangiare e andare subito a letto. Mentre ero in cucina hanno suonato alla porta. Era lei, la ragazza di Tony.

«Tony non c'è.»

«Lo so. Aspetto che arriva, mi ha detto che fra mezz'ora sarà qui.»

È entrata con me in cucina.

«Vuoi mangiare?»

«No, non ho fame.»

Abbiamo parlato del più e del meno, poi lei ha tirato fuori della cocaina e mi ha chiesto se ne volevo un po'.

«No, grazie.»

Avrei voluto dirle di non farlo, ma sapevo che non mi avrebbe ascoltato e oltretutto non volevo sembrare un genitore. Già una sera, quando avevo detto: «Ma dobbiamo per forza drogarci, non possiamo divertirci senza?», un amico di Tony gli aveva chiesto: «Ma questo chi è, tuo padre? O il prete della parrocchia?».

Non sono contrario alle droghe, ma all'incapacità di vivere senza. Le custodie dei CD in camera di Tony erano tutte graffiate perché le usava per preparare le strisce di coca. Un suo amico aveva addirittura la macchina piena di custodie di CD senza nemmeno avere l'autoradio.

Quella sera Tony è arrivato dopo due ore. Nel frattempo io e Simi abbiamo parlato tanto. Lei sapeva che sbagliava a continuare a stare con lui, ma ne era innamorata. Mi ha raccontato che era uno stronzo, che la trattava male e la umiliava. Io sono rimasto zitto. Di solito non dico mai quello che penso se non mi viene chiesto. A un certo punto, però, lei mi ha chiesto: «Non ho ragione?».

Non sapevo proprio cosa rispondere. Ho sempre ammirato uno come Gesù, che aveva sempre la risposta giusta. Tipo: "Date a Cesare quel che è di Cesare, date a Dio quel che è di Dio". Gesù era un grande copywriter.

Così ho detto solamente: «Quando sentirai che non ti andrà più bene, te ne andrai in un istante».

«Tu sei un bravo ragazzo, non sei uno stronzo come Tony. Fortunata la ragazza che ti trova.»

Io ero innamorato di lei e mi sarebbe piaciuto chiederle: "Perché non diventi tu quella ragazza?", tuttavia il suo "sei un bravo ragazzo" significava che nemmeno mi vedeva come un uomo.

Abbiamo parlato anche di libri. Lei ha preso in mano *L'insostenibile leggerezza dell'essere* di Milan Kundera, che avevo finito di leggere da poco. Le ho raccontato la storia.

«Te lo regalo se vuoi...»

«Non leggo in italiano.»

Io ho sempre sostenuto di averla amata in quelle due ore in cui siamo stati soli. Eravamo in una dimensione strappata dalle nostre vite, dalle nostre realtà. Poi è arrivato Tony e si sono chiusi in camera. Io sono tornato nella mia e ho capito che non stavo bene, sia per il lavoro sia per lei: troppe emozioni in un giorno solo. Mi si era chiuso lo stomaco. Quando ho iniziato a sentire il cigolio del letto e lei che ansimava, mi sono vestito e sono uscito. Ho girato per la città in macchina da solo senza capire come mai stavo così male. Non era gelosia, era qualcosa di più profondo, la stessa sensazione di impotenza che avevo provato in tante altre situazioni.

Il giorno dopo sono andato alla libreria internazionale e ho comprato il libro in inglese, *The Unbearable Lightness of Being*. Qualche sera dopo Simi è tornata a casa nostra e le ho regalato il libro. Mi ha ringraziato e mi ha dato un bacio sulla bocca. Sono rimasto tutta sera a letto cercando il suo sapore sulle mie labbra.

Al mattino, uscendo da camera mia, ho visto la porta della camera di Tony aperta. Lei se n'era andata e in cucina c'era il libro che le avevo regalato. L'aveva dimenticato. L'ho ripreso e sono andato in ufficio.

Tony diceva sempre di essere un artista e che questo lo costringeva a fare un vita diversa. «Gli artisti devono vivere la vita che le persone comuni non possono vivere. Siamo costretti a rompere le regole e andare oltre ogni limite. È il prezzo da pagare.»

Lui e i suoi amici passavano le sere a farsi le canne, a bere, ogni tanto ci scappava una botta di cocaina. Io qualche canna me la facevo – quella della buonanotte, come la chiamavo io – e anche qualche birra; con la cocaina, invece, non mi sono mai trovato a mio agio. Avevo paura di perdere il controllo, mentre loro erano certi di poter smettere quando volevano. E poi mi ricordavo il consiglio di Roberto: "Stai lontano dalle droghe".

Tony sosteneva che il suo fosse un lavoro provvisorio perché, come amava ripetere: "Io sono un regista".

"Quando farò il mio film...": queste erano le parole che usava sempre. Amava i grande registi e odiava gli esordienti. Erano tutti dei coglioni, tutti meno bravi di lui, più fortunati, più commerciali, venduti al sistema, con uno stile televisivo... A forza di sentirlo parlare male di altri registi, ho iniziato a pensare che lui fosse veramente bravo. Poi mi sono reso conto che la realtà era diversa: se critichi continuamente gli altri, finisce che crei una grande aspettativa su di te, ti costruisci da solo la tua trappola. Più critichi, più crei aspettative, e più crei aspettative più hai paura di sbagliare. E spesso, invece di fare, rimandi con un'infinità di scuse. Chi critica spesso ha paura.

In ufficio era sempre peggio. Idee nuove non me ne venivano, avevo un blocco creativo. Avevo paura. Vivevo i miei problemi con la convinzione che non sarei mai riuscito a superarli. Quei giorni senza un'idea da sviluppare mi logoravano. Sono i momenti in cui qualsiasi creativo sogna di fare un lavoro diverso, pratico, di fatica fisica, come semplicemente spostare delle cose, anche pesanti.

Stava arrivando il momento della consegna del mio secondo lavoro. Era passato del tempo da quando avevo fallito la prima volta, ma è stata un disastro anche quella nuova occasione.

Claudio è stato molto duro: «Ti ripeto quello che ti ho già detto, ma per l'ultima volta. Stai imitando qualcuno, non è il tuo stile. Forse il problema è che non sai chi sei. Smettila di imitare. Se non ti perdi, non trovi strade nuove. Molla il tuo autocontrollo, buttati veramente o cambia mestiere. Tu hai sbagliato l'altra volta e hai reagito così, evitando il rischio e consegnandomi praticamente la stessa cosa. Nel lavoro che hai proposto non c'è un'idea originale, un'innovazione, nessuna prova di coraggio, anzi, noto un passo indietro. Io non ho bisogno di persone infallibili, che non sbagliano, ma di persone coraggiose e originali. Il coraggio di rischiare è il metro per misurare le persone. Devi avere il coraggio di essere sfacciato. Se vuoi fare questo lavoro non puoi evitarlo. Non puoi avere vergogna o essere riservato. Hai paura del giudizio degli altri? Hai paura di non essere accettato, di essere giudicato? O accetti il rischio e ti misuri, superando le tue paure, o torni a casa e continui a riproporre le tue quattro idee collaudate che non ti fanno sbagliare.

«I numeri li hai, devi solo decidere tu se usarli. C'è un'età in cui un uomo sa che cosa è in grado di fare, quali sono le sue capacità, e soprattutto cosa non può fare. Tu devi capire quali sono i tuoi limiti e per capirlo bisogna che ti spingi fino al confine. Ma ti avverto: se il prossimo lavoro che mi porti è privo di coraggio, sei fuori. Out!».

Sono uscito dal suo ufficio e sono andato a casa. Mi sono sdraiato sul letto e ho pianto. Ho pensato di tornare dai miei, chiedere scusa a mio padre, rimettermi il grembiule e scendere al bar con lui. Senza dire nulla, come se non fosse successo niente.

Avevo paura di non essere all'altezza, paura di non farcela. Dentro di me hanno iniziato a crescere i fantasmi, quelli che ti mettono a terra con mille paure dubbi e paranoie. Il pensiero del fallimento mi stava assediando. E poi mi sentivo infinitamente solo, e da troppo tempo. Solo, stanco e spaventato.

Mi sono alzato dal letto e sono andato in bagno. Mi sono lavato la faccia. Avevo gli occhi rossi, ero distrutto. Dentro e fuori. Mi sono fissato ininterrottamente per almeno mezz'ora, in silenzio. Ho cercato di togliere tutto ciò che conoscevo di quel volto, ogni maschera che mi ero messo. Togliere il nome, l'età, la professione, la provenienza, la nazionalità. Volevo levare tutto e arrivare a vedere chi c'era sotto. Ma non ci sono riuscito. Io vedevo sempre me, quello di sempre. Il me che ero arrivato a essere. Ho guardato attraverso quel volto tutta la mia vita e ho scoperto che vedevo un sacco di cose che non mi piacevano. Come una ballerina classica che passa ore davanti allo specchio e vede solo difetti da migliorare. Quello forse era il vero problema. Il vero blocco. Non solo non sapevo chi ero, ma quel poco che conoscevo di me non mi piaceva.

Claudio aveva ragione: imitare qualcun altro non mi avrebbe portato da nessuna parte. Ma io non mi sono mai sentito bravo in niente e la tentazione di copiare gli altri era forte.

In ufficio la situazione era complicata, tuttavia io ho deciso di non mollare. Per fortuna, dopo un po' le cose hanno iniziato ad andare meglio. Una piccola campagna è piaciuta. Era proprio un lavoro senza importanza, ma per me significava molto. È stata l'unica che ho fatto con Maurizio, perché poi mi hanno affiancato Nicola e da allora non ci siamo più separati.

Con Nicola c'è stata la svolta. La coppia funzionava alla grande. Siamo riusciti a prendere lavori grossi: automobili, campagne per elezioni politiche e prodotti farmaceutici. In un mese guadagnavo più di quanto guadagnassi in un anno al bar. Non mi sembrava vero.

Tutto filava alla perfezione. Un giorno, durante una riunione, il capo mi ha fatto un sacco di complimenti davanti a tutti. Ha lodato la mia forza di volontà, l'impegno e la generosità che mettevo nel lavoro.

«Non come altri di voi che si stanno perdendo...»

Con queste ultime parole alludeva a Tony, l'ormai ex *enfant prodige*, che da quel momento ha iniziato a comportarsi in modo strano con me. I complimenti a me e l'allusione a lui hanno fatto scattare nella sua testa l'idea che ormai io fossi un nemico, un rivale, un antagonista. Lui era sempre stato considerato la promessa, il pupillo del capo e adesso stava perdendo terreno. Si sentiva minacciato e ha iniziato a essere arrogante con me, a voler dimostrare la sua superiorità. Tra l'altro non ce n'era bisogno, perché io l'avevo sempre riconosciuta. È entrato in competizione con me con il desiderio di distruggermi. Lo faceva in tutti i modi possibili, anche i più piccoli. Persino in casa la situazione è precipitata rapidamente. Vivere insieme significa dividere anche il frigorifero, ma lui raramente faceva la spesa e spesso mangiava quello che compravo io. Al mattino, per esempio, ero abituato a fare colazione con uno yogurt, ma a volte quando aprivo il frigorifero non ce n'erano più.

«Dimmelo quando mangi lo yogurt, che almeno lo ricompro.»

Certo, era una frase del cazzo, lo so, ma mi scocciava che succedesse sempre.

Lui rispondeva: «Non vorrai litigare per uno yogurt. Te ne compro un pacco domani», facendomi sentire uno sfigato che litigava per uno yogurt. Non volevo litigare, volevo solo evitare di aprire il frigorifero la mattina e non trovare quello che volevo mangiare. E comunque, il pacco non l'ha mai comprato...

Tuttavia ciò che mi scocciava di più era che lui si sentiva così superiore da trattarmi sempre come se fossi fortunato anche solo ad averlo come coinquilino. Se guardavo la televisione, mi chiedeva di cambiare canale perché c'era un programma più interessante; all'inizio non dicevo nulla per una sorta di rispetto, poi con il tempo il suo atteggiamento ha iniziato a infastidirmi. Oltretutto la televisione era mia, comprata da me, visto che lui non ce l'aveva perché, come diceva sempre, "io non guardo la televisione". Poi invece la guardava, eccome.

Quando in casa si bruciava una lampadina, o si rompeva una tapparella, mi chiedeva di ripararla. «Fallo tu che sei pratico, a me la praticità manca proprio.» Io lo accontentavo, felice di farlo, ma soprattutto di saperlo fare. Non mi rendevo conto che me lo diceva con un senso di superiorità, come a dire: "Io sono un artista e certe cose non le so fare...". Se me ne fossi accorto, gli avrei potuto far vedere anche come ero bravo a pulire i pavimenti, i vetri delle finestre con il giornale, ad asciugare i bicchieri, quelli stretti in cui non entra bene la mano, come far brillare un lavandino d'acciaio e i rubinetti o come scrostare bene i cessi dopo che qualcuno non ha usato lo spazzolone. Ne avevo di cose da fargli vedere. Ma lui era quello che aveva vinto il premio a vent'anni, il genio, il talento, la grande promessa... e si riteneva superiore a quelle cose. Penso veramente di essere stato fortunato ad avere avuto uno più bravo di me in casa in quegli anni. Ancora oggi, infatti, cerco di stare accanto a persone più brave di me. Ho bisogno di qualcuno che mi stimoli a raggiungere obiettivi più alti, per questo detesto chi si circonda di *yes men*.

Quando ho iniziato a ottenere risultati sul lavoro e a capire che non dovevo imitare gli altri, ma potevo rimanere me stesso, un ragazzo di provincia, ho cominciato a prendere sicurezza e a non accettare più compromessi. Questo atteggiamento, però, era visto da Tony come una mancanza di rispetto e soprattutto come la dimostrazione che mi ero montato la testa.

Tony ha iniziato a parlare del mio lavoro e dei miei successi come se fossero soltanto frutto della fortuna: «Sei stato fortunato che ti hanno dato quella campagna. Sei stato fortunato che il capo non ti ha detto questo. Sei stato fortunato che proprio in questo momento è successo questo...». Non capivo perché mi parlasse in quel modo: io ero sempre stato felice per lui quando otteneva dei risultati.

Ho iniziato così a rendermi conto che la sua amicizia non era sincera, ma l'occasione per rafforzare la propria immagine di sé. Ecco perché non andava mai via dall'appartamento: ogni anno arrivava un ragazzo nuovo e lui era sempre il più bravo. Noi servivamo a quello: a farlo sentire grande.

Non riuscivo a odiarlo, solo che ora non gli permettevo più di essere arrogante. Gli chiedevo apposta notizie sul suo film, quello che sosteneva di voler girare. Volevo sapere di cosa parlasse, quando lo avrebbe girato e mi ero anche offerto di aiutarlo. Lui era sempre vago e preferiva cambiare discorso. Ogni volta che chiedevo: «Ma quando consegni la sceneggiatura? Ci stai lavorando?», trovava sempre delle scuse.

«Adesso no, perché prima devo fare un viaggio che mi serve per vedere delle cose; adesso no, perché sto aspettando che esca la versione nuova di un software per il montaggio; adesso no, perché è un periodo strano...»

Rimandava sempre. Io capivo che erano tutte scuse e che in realtà aveva paura di scoprire di non essere all'altezza di ciò che tutti si aspettavano da lui. E forse anche di ciò che lui si aspettava da se stesso. Aver vinto un famoso premio a inizio carriera lo aveva penalizzato, si era sentito già arrivato e pensava che tutto sarebbe stato facile. D'altra parte dopo un successo ti senti tutti gli occhi addosso e le aspettative creano grande ansia. Meglio crescere un passo alla volta.

Un giorno ho cercato di parlargli da amico e gli ho detto che secondo me stava sprecando il suo talento e il suo tempo, che il suo continuo rimandare era una scusa e in realtà si stava cacando sotto dalla paura. Gli ho parlato in maniera molto gentile, in modo che il mio discorso non sembrasse una critica, ma lui ha avuto una reazione esageratamente nervosa. Mi ha urlato che mi ero montato la testa e che non mi sarei dovuto permettere di parlargli in quel modo, perché io non ero all'altezza e le mie parole erano solo il frutto di arroganza, presunzione e soprattutto invidia.

«Ma, Tony, te lo dico perché sono tuo amico.»

«Io non ti ho chiesto niente. E poi tu che ne sai? Solo perché hai avuto la fortuna di fare in modo decente due lavori... che tra l'altro io ho rifiutato. Sei venuto a vivere qui che non sapevi nemmeno parlare in italiano e adesso mi dai consigli di vita. *Fuck off loser*.»

Poco tempo dopo ci siamo trovati entrambi in gara

per un premio. Nessuno dei due ha vinto, io però sono arrivato secondo, comunque prima di lui. Non mi ha rivolto più la parola, se non per offendermi pesantemente. Spesso il fatto di non essere contenti di se stessi genera crudeltà verso gli altri.

Una volta addirittura mi ha accusato di avergli rubato un'idea, sostenendo che un *claim* che avevo usato per una campagna fosse una frase che mi aveva detto lui una sera chiacchierando.

In ogni caso, il nostro rapporto era ormai compromesso. Appena ho trovato in affitto un appartamento vicino all'ufficio, mi ci sono trasferito.

Nella vita, ormai, vivevo due realtà. Durante la settimana piccoli successi e obiettivi raggiunti, poi nel weekend tornavo a casa e vedevo mio padre che di sacrifici ne faceva anche più dei miei, ma non riusciva a concludere nulla. A casa cercavo di non sembrare troppo felice per il mio lavoro, in ufficio di non sembrare troppo infelice per quello che provavo a casa. È stato un buon allenamento che ha fatto nascere in me l'abitudine alla dissimulazione. Era faticoso, fisicamente faticoso, fingere serenità anche solo quel minimo che mi serviva per riuscire a lavorare bene e a relazionarmi con il mondo. Sono stato per gran parte della mia vita una grande menzogna emotiva. Mi ripetevo sempre: "Non sono felice, ma posso sembrarlo".

Un sabato, mentre ero a pranzo dai miei, mio padre mi ha detto una frase a cui subito non ho dato molta importanza, ma col passare del tempo ho capito che mi aveva colpito nel profondo. Aveva iniziato lui con una battuta di circostanza: «Come vanno le cose?».

«Bene.»

«Sono contento. Sai, pensavo che tutto sommato la mia sfortuna è stata la tua fortuna.»

«In che senso?»

«Nel senso che se le cose non fossero andate male al bar tu non te ne saresti mai andato da casa, quindi la mia sfortuna è stata la tua fortuna...»

Mio padre spesso non si rende conto di ciò che dice, gli mancano proprio gli strumenti per capire certe dinamiche. Non riesce a comprendere cosa possa significare per me una frase detta da lui. Il suo discorso non faceva una piega, tuttavia quelle parole mi sono entrate dentro come una scheggia, come un pezzo di ferro nella carne, e nella mia testa si sono trasformate in un legame forte tra la mia fortuna e la sua sfortuna. Più le cose mi andavano bene, più soldi guadagnavo, più mi sentivo in colpa per mio padre. I soldi e il successo ci allontanavano, ci rendevano diversi. Più salivo nella scala del successo e più mi sentivo solo.

Non riuscivo a godermi i risultati del successo professionale. Per esempio, continuavo ad andare in giro con la mia vecchia macchina scassata. Per molti era solo la mania di uno che voleva fare il personaggio, quello naïf, quello che finge di essere umile. Non potevano sapere che per me era un problema profondo. La macchina era un legame con la mia famiglia. Una macchina nuova avrebbe significato una separazione maggiore da loro, ancora un passo più in là, lontano dai miei, ancora più solo, ancora più in colpa.

In quei primi anni, infatti, vivevo la mia nuova condizione economica e professionale come un simbolo di separazione dalla famiglia. Tutto stava andando bene, ma io non ero felice.

16
Lei (che non sopportavo)

Ho un problema. Soprattutto da quando lei se ne è andata. È un po' di tempo ormai che esco e incontro gente nuova, ma non mi piace nessuno. Intendo dire che non trovo nessuno che mi somigli.

Qualche sera fa sono andato a bere un aperitivo, c'era Nicola con me, insieme con amici e amici di amici. Dopo venti minuti lì, in piedi vicino al bancone con un bicchiere in mano, non sapevo più cosa fare e mi sono ricordato perché non esco quasi mai.

Anche quando stavo con lei spesso non la sopportavo, litigavo, discutevo e non ero d'accordo, però sentivo che lei era "diversa", lei era come me.

Ci sono un sacco di cose che sono migliorate da quando non conviviamo più, ma sono tutte poco importanti e non valgono la sua assenza.

D'inverno non mi ritrovo mai di notte senza coperta, mentre quando c'era lei nelle notti particolarmente fredde capitava spesso. Nel sonno lei si arrotolava nelle coperte come un involtino primavera e io per recuperare un po' di coperta dovevo srotolarla come uno yo-yo.

D'estate, quando ho caldo, posso alternare un lato del letto con l'altro, quello che era il suo. Posso anche cambiare il cuscino e sentire il fresco sul collo per qualche istante.

Posso guardare un film senza mettere la pausa perché lei deve andare in bagno anche due o tre volte. Stare sul divano con il film in pausa mi è sempre scocciato. Quell'attesa con il fotogramma immobile sul televisore mi disturba l'animo. D'altra parte, se continuavo a vedere il film perché lei mi diceva di non stopparlo, mi sentivo egoista e comunque, quando tornava, dovevo farle un resoconto veloce mentre il film continuava. In quella situazione, però, almeno una cosa positiva c'era: la frase che potevo dire quando lei tornava dal bagno... "visto che sei in piedi...", per chiederle di portarmi un po' d'acqua o una mela. In ogni caso guardare la televisione da soli è meglio. La TV, infatti, è come la masturbazione; e da soli si può ridere di cose stupide senza aver paura di essere giudicati. In due a volte è imbarazzante.

C'era poi la gestione delle tapparelle al mattino. A me piace alzarle un poco, ma non fino in cima, e arrivare alla luce piena un po' alla volta. Invece lei amava alzare completamente le tapparelle e spalancare le finestre per "far passare un po' d'aria", come diceva.

L'ultimo yogurt rimane l'ultimo finché non sono io a mangiarlo. Vado in bagno senza chiudere la porta a chiave; con lei in casa non ci sono mai riuscito.

Anche camminare d'estate senza di lei ha i suoi vantaggi. Posso avere le tasche dei pantaloni vuote, come piace a me. Lei spesso si metteva vestiti senza tasche, e finiva che qualcun altro, cioè io, doveva tenerle ogni cosa: portafoglio, telefono, chiavi, fazzoletti. Un prezzo che comunque valeva la pena pagare per vederla indossare quei vestiti.

Se ripenso a quando vivevo con lei spesso mi rendo conto di essere stato veramente pessimo e mi spiace per come mi sono comportato molte volte. C'erano giorni in cui ero proprio antipatico e insopportabile. I miei giorni di tolleranza zero, quando mi comportavo come un bambino viziato e capriccioso, ed ero intrattabile perché non la sopportavo. Vivendo insieme mi succedeva spesso. Allora fantasticavo di stare nuovamente a casa mia senza di lei, in libertà. Ora che le mie fantasie sono diventate realtà, ammetto di non sentirmi affatto come mi immaginavo.

Eppure quando stavo con lei c'erano cose che proprio non tolleravo. Per esempio il caffè. A casa mia ho due moka per il caffè: una da tre, che va benissimo per due, e una da due, perfetta per uno. La moka da due fa il caffè più buono. Se mi svegliavo prima di lei mi facevo la moka da due solo per me, ma se durante l'attesa lei si svegliava mi sentivo dire: «Potevi fare la moka da tre...».

«Pensavo dormissi.»

«Lo sai che mi sveglio.»

Che nel linguaggio di coppia significa: "Sei il solito egoista".

Allora di mattina facevo la moka da due, muovendomi piano per non svegliarla e sperando che il caffè arrivasse prima di lei. Aprivo il coperchio nella speranza di vedere al più presto quel piccolo vulcano eruttare. Vivevo così una piccola, leggera ansia. Se invece facevo la moka da tre mi sentivo di aver fatto una cosa gentile per lei, quindi mi aspettavo una ricompensa.

Una sera a casa, prima di decidere di stare insieme senza convivere, stavamo chiacchierando con quell'intimità che a volte sapevamo creare, quell'atmosfera in cui si è così tranquilli e complici che uno si potrebbe anche sentire libero di confessare un tradimento. A un certo punto lei mi ha chiesto di farle delle confidenze. Non su tradimenti, ma su cose che faceva lei che a me davano sui nervi.

«Ci sarà qualcosa che faccio che ti infastidisce, no?»

Io ho risposto che al momento non mi veniva in mente nulla. Era una bugia.

Le ho girato la domanda e lei è stata più onesta, me ne ha dette più di una: «Quando finisci una conversazione al cellulare e prima di metterlo in tasca o di appoggiarlo te lo passi sulla manica o sui jeans per pulirlo».

In quel momento, mi sono visto che lo facevo. Nemmeno me ne accorgevo prima che me lo dicesse. Ho smesso di farlo, ma dopo che mi ha lasciato ho ricominciato. A volte non lo faccio come fioretto. Come uno stupido penso: "Se non lo pulisco, lei mi chiama per dirmi che torna da me".

Un'altra cosa che le dava fastidio era quando, sempre con il telefonino, scrivevo un messaggio velocemente. Uso due mani e sono velocissimo: quel *tic-tic-tic* la innervosiva.

Se io fossi stato più onesto, invece di dirle che non

mi veniva in mente nulla delle cose che mi davano fastidio di lei, le avrei fatto un lungo elenco.

Quando al ristorante ordinava un'insalata dal menu e poi faceva togliere o aggiungere qualche ingrediente.

Il rumore che faceva quando deglutiva.

Quando al mattino aveva freddo e tirava su con il naso.

Quando lasciava aperto il frigorifero.

Quando masticava le fette biscottate.

Quando con il dito pigiava le briciole a tavola per raccoglierle e poi infilarsele in bocca.

Ma forse ciò che mi dava più sui nervi era quando mangiava lo yogurt. O, meglio, il rumore che faceva per finirlo bene: il suono del cucchiaino nel barattolo di plastica mi cambiava l'umore. Mentre se lo faccio io tiro fuori anche la lingua, tanto mi piace.

Ho anche pensato che lo avesse capito, perché mi sembrava che lo facesse persino con più foga, apposta per darmi fastidio.

Ora che lei non c'è più mi mancano tutte queste cose, anche quelle che mi davano sui nervi. Ma soprattutto mi fa stare male tutto ciò che non accadrà. E la difficoltà di trovare una donna che abbia quella cosa che non so spiegare, e che lei aveva, mi rende ancora impossibile, dopo tutto questo tempo, perdonarmi la colpa di averla fatta uscire stupidamente dalla mia vita. Per questo adesso la rivoglio. Per questo appena le parlerò lei capirà e non si sposerà più.

17
Nicola

Il mio è un lavoro da anni Ottanta, al massimo Novanta. Molte cose da allora sono cambiate. I ragazzi che arrivano oggi in ufficio sono dei laureati che hanno fatto un sacco di master con titoli sempre più difficili, che solitamente finiscono con "... della comunicazione".

Arrivano in studio pieni di nuove tecnologie, MP3, palmari e computer, zaini e borse a tracolla *cool*, ma totalmente incapaci di fare qualsiasi cosa, con la pretesa però – siccome hanno studiato molto, alcuni anche all'estero, e magari hanno fatto anche dei master – di avere un ufficio tutto loro e delle persone sotto da comandare. Se chiedi un favore, alcuni ti fanno notare che non è compito loro perché non rientra nella *job description*, come un giorno mi ha detto uno al quale avevo chiesto di portarmi un caffè. Me lo ha portato, ma ho saputo che va dicendo in giro che sono un coglione e che la prossima volta me lo tira in faccia.

Lo capisco. Un conto è entrare nel mondo del lavoro a vent'anni, un conto è farlo a trenta. Conosco le sue paure e soprattutto comprendo che è più difficile ora di quando ho iniziato io. Come ha scritto Paul Valéry: "Il futuro non è più quello di una volta".

Io sono stato più fortunato. Ho iniziato a fare questo lavoro entrando da una porta piccola che mi ha costretto ad abbassare la testa. Sono entrato nel mondo del lavoro a testa bassa. A Enrico portavo i caffè senza farmi problemi. E forse questa umiltà è la cosa a cui devo di più nel mio lavoro.

Io e Nicola siamo a disagio, non siamo più tanto contenti di fare questo lavoro. Le aziende hanno imparato a dettare le regole uccidendo la fantasia: io pago, io ho ragione. Oltre a essere un lavoro che è stato distrutto negli anni, ti regala spesso un senso di colpa se pensi che ti sei impegnato a riempire la testa della gente di cazzate, a convincere le persone di cose non vere, a creare nelle loro vite dei falsi bisogni.

Io, per esempio, sono complice nell'aver diffuso la convinzione che se al mattino non bevi dei fermenti lattici ti ammali più facilmente e sei più debole durante il giorno, che un deodorante può essere intelligente, che una crema possa ridurre l'invecchiamento ed eliminare le rughe.

Proprio sul discorso del senso di colpa del pubblicitario io e Nicola siamo diventati subito amici. È stato il primo argomento che abbiamo affrontato e che ci ha legati per sempre. Appena abbiamo iniziato a lavorare insieme, quando ancora c'era Claudio, siamo finiti a fare un weekend di lavoro. Eravamo andati a seguire un incontro che ci sembrava utile per la nostra professione. Si intitolava "L'estetica divora i figli del tempo e distrugge l'unico bene che l'uomo possegga: la personalità", che poi a quanto pare era una citazione di Kierkegaard.

Quell'incontro evidenziava in modo chiaro ciò che a noi faceva schifo del nostro mestiere. Dal palco il relatore parlava e noi eravamo d'accordo su tutte le sue parole: «Sappiamo di essere parte attiva e importante del disfacimento dei valori sociali perché non vendiamo solo prodotti, noi vendiamo uno stile di vita, uno stile che sia possibilmente difficile e che allo stesso tempo però annienti tutti gli altri. Perché l'obiettivo non è la soddisfazione di un bisogno, o più bisogni, piuttosto la necessità di alimentare sempre più desideri. Una volta soddisfatto il desiderio, dobbiamo averne già inventato un altro e un altro ancora da appagare...».

È vero, noi manipoliamo la gente, chiediamo e otteniamo attenzione dall'indifferenza quotidiana, e ciò nutre il nostro ego, pur generando in noi un senso di colpa da elaborare. Noi creiamo il vuoto, l'angoscia, e poi piazziamo il prodotto per riempirlo e tranquillizzare la gente. Come la Chiesa, macchiamo del peccato originale e poi vendiamo lo smacchiatore. Il consumo è il motore della società poiché ne determina i rapporti di forza, i modelli di comportamento, le categorie sociali, ossia lo status sociale.

Il messaggio va detto e ripetuto continuamente, come una goccia cinese, e ormai è stato assorbito totalmente. Anzi, è entrato a far parte della natura del consumatore, tanto che ormai è lui a condizionare se stesso, a essere il guardiano della propria cella.

La grande conquista della società moderna è l'annientamento della cultura del risparmio. Spendo ciò che guadagno, anzi, si può spendere anche di più, si possono spendere anche i soldi che si guadagneranno in futuro, quelli che ancora non possediamo, grazie a tutte le agevolazioni di pagamento: rate, leasing, carta di credito.

Noi pubblicitari mettiamo la nostra creatività al servizio della lotta contro il calo della produzione, il nemico numero uno da sconfiggere. Bisogna continuamente stimolare e creare nuovi desideri e nuovi bisogni. Bisogna sempre cercare nuovi mercati da invadere e conquistare come fossero territori. Bisogna convincere che comprare oggetti è un modo per sentirsi più sicuri. Sono tanti i metodi per spingere all'acquisto; per esempio uno molto efficace è l'invecchiamento del prodotto, rimpiazzato sempre da nuove versioni. Spogliare velocemente l'oggetto di quella luce di novità, di quella sensazione di nuovo che regala un sentimento eccitante. Ci pensiamo noi a dirti che ormai è vecchio e, visto che il prodotto ti rappresenta, tu comprerai quello nuovo per essere sempre al passo con i tempi. Perché tu sei il prodotto, e un prodotto nuovo ti rende più giovane. Noi abbiamo creato consumatori insaziabili.

L'omologazione non è mai stata realizzata nemmeno dalle dittature più feroci, mentre la società dei consumi, senza dichiararlo, ci si è avvicinata molto di più. Come ha detto Huxley: "... ci sarà in una delle prossime generazioni un metodo per far amare alle persone la loro condizione di servi e quindi produrre dittature, come dire, senza lacrime; una sorta di campo di concentramento indolore per intere società in cui le persone saranno private di fatto delle loro libertà, ma ne saranno piuttosto felici".

Con Nicola facciamo spesso chiacchierate su questi argomenti, ci piace filosofeggiare. A volte diciamo che dovremmo mollare tutto e aprire un agriturismo da qualche parte, ma poi alla fine credo che siamo anche semplicemente e pateticamente compiaciuti del nostro lavoro. L'indottrinamento causato dalla TV e dalla pubblicità ci fa sentire comunque in una posizione di comando. E poi noi utilizziamo un linguaggio internazionale, lavoriamo con marchi che sono la prima forma di lingua internazionale. "Coca-Cola" è la seconda parola più usata nel mondo dopo "okay". Sono nomi che si conoscono in tutto il pianeta. Sono lo nostre divinità domestiche, e noi siamo i sacerdoti di questa religione dei tempi moderni.

Nicola è entrato nella mia vita quando ero già adulto. Non è un amico di infanzia. Come Carlo, per esempio, che conosco da quando ero bambino e, anche se non ci vediamo e non ci sentiamo mai, so che c'è. Nicola so che c'è perché lo vedo tutti i giorni.

Carlo, invece, è entrato nella mia vita al tempo delle elementari. Mi ha conquistato subito raccontandomi una barzelletta che mi ha fatto ridere molto e che allora era diventata la mia preferita, anche se adesso, ripensandoci, non ne capisco il motivo. Fino all'incontro con Carlo la mia barzelletta preferita era un'altra. E anche quella ora non mi fa più ridere. Faceva così: "La mamma dice a Pierino: 'Vai a comprare il salame'. Pierino non ha voglia di andare fino al negozio, allora decide di tagliarsi il pisello, lo incarta e lo dà alla mamma, la quale lo mangia e dice: 'Buono, vai a prendermene un altro'. Pierino risponde: 'Appena mi ricresce'".

A otto anni era la mia preferita. Ridevo ogni volta che la sentivo. Poi Carlo mi ha raccontato la sua.

"Ciao bel bambino, come ti chiami?"

"UGO!" (detto in maniera rozza).

"Dài, bel bambino, dillo con più dolcezza."

"UGO con lo zucchero."

Quanto ridevo per quella cazzata. "Ugo con lo zucchero": ma che cosa ci sarà da ridere?

Tuttavia la storia più divertente con Carlo, quella che ci piace ricordare le rare volte che ci vediamo, è un'altra. Avevamo più o meno sedici anni e una volta siamo riusciti a infilarci in un cinema porno. Uno degli ultimi cinema a luci rosse, quelli con la striscia obliqua sulla locandina all'ingresso: VIETATO AI MINORI DI 18 ANNI. Quei cinema dove le vecchie prostitute andavano a dare gli ultimi colpi della carriera, approfittando del fatto che gli uomini erano eccitati e la sala buia. Riuscivano ancora a racimolare qualche soldo, più che altro con pompini.

Due file davanti alla nostra c'era un tipo che aveva una maglietta a rete, a dirlo non sembra vero. Di fianco a lui, una donna, non so se era la sua compagna o una che era lì per "lavorare". Il film iniziava con l'inquadratura su un mazzo di chiavi che penzolava dal blocchetto di accensione di una macchina. Poi una mano di donna girava la chiave per spegnere il motore. Sempre con un'inquadratura stretta si intravedevano le gambe di una donna che usciva dalla macchina e si dirigeva verso una palazzina. Un'altra immagine di chiavi che aprivano il portone, poi l'inquadratura si spostava all'interno di un ascensore. La donna, della quale non si erano ancora visti il corpo né la faccia, si fermava di fronte alla porta di casa. L'inquadratura si stringeva sulla toppa, in cui venivano inserite le chiavi. La porta si richiudeva e l'inquadratura rimaneva sui piedi di lei che camminava nel corridoio. All'improvviso il rumore dei passi è stato interrotto dalla voce dell'uomo con la maglietta a rete: «Oh, troppa trama!».

Siamo scoppiati a ridere. Quella frase è stata per anni il nostro tormentone e ancora oggi spesso la citiamo.

"Troppa trama!"

Nicola e Carlo si sono conosciuti quando quest'ultimo ha organizzato una festa a sorpresa nella mia città per festeggiare un premio che io e Nicola avevamo vinto. Non so come abbia fatto ad avere il suo numero, fatto sta che si sono organizzati e insieme mi hanno fatto questa sorpresa. È stata una serata indimenticabile. C'erano tutti i miei amici, c'era mia zia, mio cugino e anche mia madre. Tutti, tranne mio padre. Ricordo che mi sono subito avvicinato a mia madre e, mentre mi abbracciava, le ho chiesto: «Dov'è il papà?».

«È rimasto a casa, era molto stanco, ma ti saluta.»

Nicola da subito è diventato un vero amico e negli ultimi tempi non c'è nessuno che frequento quanto lui.

Fin dal primo giorno in ufficio mi ha detto che per lui il lavoro ha senso solo se è un gioco, che esprimere la creatività è una necessità per non impazzire.

«Io ho già un sacco di problemi, non voglio che

il lavoro sia un problema che si va ad aggiungere agli altri.»

«Ma che problemi puoi avere tu?»

«Lo stesso che hai tu: la vita. Ricordati, la vita è una malattia mortale, per cui bisogna godersela. Oggi stai bene? Approfittane!»

Un'altra sua frase è: «Le persone tristi rendono triste l'ambiente».

Per esempio l'altro giorno gli ho detto di buttare giù due righe su un'idea e lui è tornato con un foglio così:

_____

_____

_____

«Oh, te ne ho fatte tre perché ero ispirato.»

Gli avrei spaccato la sedia in testa.

Lui invece si infastidisce quando gli dico: «No, non è così, adesso ti spiego».

In questi casi mi risponde: «Va bene, Wiky». Quando mi chiama così significa che ho fatto il saputello e lui inizia a prendermi in giro. "Wiky", infatti, è il diminutivo di Wikipedia. A volte mi chiama anche "Precisetti".

Una sera sono andato a cena a casa sua. Capita raramente perché non c'è mai niente da cucinare. Infatti ci siamo fatti una semplicissima pasta in bianco con parmigiano. Dopo cena ci siamo fumati una canna seduti sul divano e a un certo punto Nicola mi ha detto: «Tu ascolti tutti, ma parli sempre poco di te. Ti apri poco. Non ti fidi di nessuno».

«Cosa c'entra adesso questo discorso.»

«È da un po' che volevo dirtelo. Cazzo, tu non ti fidi di nessuno!»

«Parli tu, che hai fatto alla donna delle pulizie la prova cinquanta euro...»

«Che vuol dire? L'ho fatto solo perché volevo essere sicuro.»

La prova funziona così: si prende una banconota da cinquanta euro, si mette in un punto della casa dove sembra caduta per caso, tipo appena sotto il divano, e poi si controlla se la donna delle pulizie te la rimette sul tavolo o se, facendo finta di niente, se la intasca.

Nicola ha fatto un tiro di canna, me l'ha passata e ha continuato: «Ti ricordi il gioco della fiducia che si faceva da ragazzini? Lasciarsi cadere indietro e farsi prendere? Sono sicuro che tu non riesci a farlo».

«Beh, ti sbagli...»

«Sai cosa ti dico? Adesso lo fai.»

«Ma vaffanculo, dài...»

«No, no, adesso lo fai subito. Vieni qui» mi ha detto alzandosi.

«Lo farei con chiunque, ma so che tu vuoi farmi cadere. Non è il gioco in sé, sei tu... e poi non sei nella condizione di farlo.»

«Tutte cazzate, tu non lo fai perché non ti fidi nemmeno della tua ombra. Ti prometto che non ti faccio cadere... o forse sì, dipende. Tu fidati.»

«No, se mi fai cadere mi faccio male.»

«Beh, sì: se ti faccio cadere ti fai male, ma non ti faccio cadere. Fidati.»

«È una stronzata, dài. Basta... cambiamo discorso.»

«Fidati.»

Ho capito che non scherzava e allora ho accettato la sfida. Mi sono alzato dal divano e ho detto: «Va bene».

Mi sono accorto subito che Nicola aveva ragione. Sentivo che ero bloccato, che non riuscivo a lasciarmi andare.

«Allora... muoviti!»

«Mi fido, ma sono bloccato. Ho un blocco. Giuro che non ci riesco. Forse è colpa della canna.»

«Hai visto, lo sapevo. Non è il fumo, sei tu. Devi fidarti. Dài che ti prendo... forse.»

Ho iniziato a ridere.

«Smettila di ridere, chiudi gli occhi e quando te la senti lasciati andare.»

C'ho messo quasi un minuto, ma alla fine mi sono lasciato cadere. Mi ha preso. È stata la mia prima volta. Dopo quel gioco stupido ci siamo seduti di nuovo e la fame chimica da canna si è impossessata di noi. Volevamo qualcosa di dolce. Nicola è andato a frugare nella credenza e alla fine è tornato con un paio di mutande commestibili che aveva comprato in un sexy shop.

«Ho solo queste, sono al gusto di banana...»

All'inizio ho detto di no, poi ne ho assaggiato un pezzo. Non erano male...

La serata è finita così, nella maniera più singolare: due uomini sul divano, fatti di marijuana, che mangiavano un paio di mutande alla banana.

18
Lei (e nessuna più)

Ho sempre pensato che lei fosse quella giusta, quella definitiva, quella che dopo di lei nessuna più.

Non ho mai vissuto con altre donne quello che provavo con lei quando fingeva di essere arrabbiata. Il suo modo di fingersi arrabbiata e offesa era unico, mi commuoveva. Anche quando teneva il muso o non parlava non era mai pesante, perché durava poco, come succede ai bambini.

Per me aveva anche smesso di usare il burrocacao. A me piace baciare labbra naturali, con niente sopra. Mi piacciono come sono e mi dà fastidio qualsiasi sensazione appiccicosa e qualsiasi sapore, anche quelli buoni alla frutta. Chiunque pensi sia una rinuncia da poco non ha mai usato il burrocacao. È più facile smettere di fumare. Senza, si ha sempre la sensazione di avere labbra secche e screpolate. Non vi è mai capitato che una ragazza a un certo punto vi chieda: "Scusa, per caso hai del burrocacao?". Se ci pensate è una domanda strana, nel senso che non è poi così diffuso che gli uomini ne abbiamo uno in tasca, ma in crisi di astinenza una ragazza la trova una domanda normale. Una donna che rinuncia a usare il burrocacao per voi è una donna che ci tiene. Una grande donna. E lei lo era.

Comunque ora non è più qui in casa e nemmeno nella mia vita. Si è portata via tutto.

Due giorni dopo che se ne era andata mi ha scritto via mail che doveva venire a portarsi via le sue cose e che preferiva non trovarmi in giro per casa.

Ho chiesto a Nicola se potevo stare da lui nel weekend. Non solo mi ha detto di sì, ovviamente, ma ha fatto anche di più. Il giorno dopo, infatti, si è presentato in ufficio con due biglietti aerei per Parigi. Non era la prima volta che arrivava con due biglietti per qualche città europea. Sta ore su internet e quando trova offerte convenienti compra i biglietti. Se poi decidiamo di non andare perdiamo poco, i voli che trova sono sempre low cost.

Mi piace fare weekend con lui in giro per il mondo. Anche se partire mi ha sempre un po' agitato, al punto che spesso quando arriva il momento desidero che succeda qualcosa che me lo impedisca. Faccio la valigia, ma desidero abbracciare il divano.

Quando lascio la casa per un viaggio, osservo la luce che si appoggia in maniera delicata sul divano o sulla parete filtrando timidamente dalle tapparelle alzate un po', e penso che tutto resterà lì a vivere una vita che non è destinata a me. Mi guardo intorno, osservo gli oggetti, le sedie, il tavolo, il letto e penso che quando tornerò troverò tutto come l'ho lasciato, senza cambiamenti.

Spesso anche Giulia si unisce ai nostri weekend all'estero. Andare a mangiare fuori in tre signifi-

ca che uno, quasi sempre Nicola, si dovrà sedere
senza nessuno di fronte. In macchina, se guida Nicola va dietro Giulia, se guido io si alternano loro
due, se guida Giulia va dietro Nicola. Insomma,
io non vado mai dietro. Non c'è una spiegazione,
non è che ce lo siamo detti, succede tutto in maniera naturale.

Quando andiamo in qualche città, il primo luogo
che visito è un museo. L'ultima volta siamo stati a
Londra e subito dopo aver appoggiato le valigie in
camera sono andato alla Tate Modern. Anche se mi
piace andare alle mostre, se proprio devo essere sincero non posso nascondere che mi creano sempre un
po' di disagio e di imbarazzo. Sembro sereno, ma
dentro di me avverto una piccola sensazione di disagio. Perché l'arte mi appassiona e un po' la conosco,
ma non la capisco mai veramente fino in fondo. Mi
piace visitare una mostra da solo, fermarmi quanto
mi pare davanti a un'opera, prendermi il mio tempo e addirittura saltarne qualcuna. Mi piace il rapporto a due tra me e l'opera d'arte. Non amo fare
il percorso insieme a qualcuno, preferisco seguire i
miei tempi.

Un'altra cosa che amo fare nei musei è andare nel
bookshop, dove compro sempre qualcosa: una tazza, un calendario, una matita o una calamita per il
frigorifero.

Quel weekend a Parigi con Nicola non è stato facile. Girare per le vie di una città romantica sapendo
che nel frattempo lei era a casa a fare gli scatoloni
è stato devastante. Mentre mangiavo, passeggiavo,
ero seduto a un bar, non vedevo nemmeno la bel-

lezza dei luoghi, ma la mia mente andava a lei che piegava, ripiegava, accomodava nelle scatole, nelle borse, nelle valigie, nelle speranze svanite. La vedevo girare per casa con lo sguardo di chi tristemente spera di non aver dimenticato qualcosa. Io sarei scappato subito e sarei tornato a casa a piedi, sarei corso da lei per chiederle in ginocchio di rimanere. Ma era inutile, non potevo pretendere da lei qualcosa che poi non sarei riuscito a sostenere. Come sempre.

Nicola cercava di distrarmi, anche se si accorgeva che con la testa ero altrove, ero distratto, intrappolato in un pensiero geograficamente lontano. Parlava, parlava, parlava...

«Sai perché il croissant ha questa forma e perché si chiama così?» mi ha chiesto al tavolo di un bar.

Io nemmeno ho risposto.

«Ha la forma di uno spicchio di luna perché è come la luna crescente della bandiera turca. I turchi per conquistare Vienna scavarono nella notte dei tunnel per minare le fondamenta delle mura e farle cadere, ma dei panettieri che erano svegli per lavorare sentirono i rumori e avvisarono l'esercito, che respinse i turchi. In memoria di questa vittoria venne chiesto ai panettieri di inventare un dolce e loro crearono il croissant, che significa "crescente". Come la luna della bandiera turca... Lo sapevi? Interessante, no?»

«No.»

Quando la domenica sera sono tornato, sono rimasto davanti alla porta di casa qualche minuto, come se non volessi entrare nella mia nuova vita. Ho sperato di trovare tutto come prima, con lei ai fornelli che mi diceva: "Ne parliamo un'altra volta, ora siediti che ti ho preparato la cena".

Ma la casa era vuota. Come il mio futuro.

19
Le mani sul tavolo

Il rapporto con mio padre ormai era fatto di poche parole e di argomenti evitati. L'affetto e la complicità erano inesistenti. Era passato del tempo da quando me n'ero andato e forse si poteva anche superare ciò che era successo, ma ormai quella situazione era diventata per noi quasi un'abitudine, un rifugio per le nostre insicurezze.

Me n'ero andato perché desideravo un "altrove", una possibilità diversa. Il fatto che avessi avuto successo dimostrava che avevo avuto ragione e questo complicava le cose.

Mia madre mi chiedeva del lavoro, voleva sapere, era orgogliosa di me. Lui invece non parlava mai e bastava poco per scatenare stupidi litigi.

Una sera mia madre ha preparato le polpette come piacciono a me. A tavola si parlava del fatto che mio padre dovesse fare delle analisi. Mia madre non guida e quindi mi sono offerto di accompagnarlo. «Se vuoi ti porto io.»

«No, grazie, ce la faccio da solo, non sono ancora infermo.»

«Non intendevo dire che non ce la fai, l'ho detto per farti sapere che se vuoi ti posso accompagnare.»

«Non serve, ma grazie per il pensiero.»

Non erano gentilezze da parte sua, o paura di disturbare, erano porte che mi chiudeva in faccia, con risentimento.

Quella sera, però, non è andata come sempre, come le tante altre sere in cui il silenzio aveva nascosto tutto. Quella sera è esplosa una bomba. Dopo qualche minuto, a causa di un suo commento, sarà stato per la stanchezza o per la risposta che mi aveva dato poco prima, ho perso il controllo e gli ho vomitato addosso tutto. E non mi riferisco alle polpette di mia madre, ma a ogni singola parola, ogni emozione, ogni rancore che avevo in pancia da anni. Dalla bocca mi uscivano parole che non pensavo, uscivano e basta.

«Sai che c'è, papà? C'è che mi sono rotto le palle. Ma veramente, questa volta. Non ce la faccio più, sono anni che andiamo avanti così e adesso mi sono rotto. Tu sai perché litighiamo? Perché non abbiamo niente da dirci. Parliamo di niente per paura di parlare d'altro, di tirar fuori cose di cui ci pentiremmo. Perché non mi dici chiaro e tondo che sono stato uno stronzo ad andarmene e che ti ho tradito? Che ti ho voltato le spalle, che sono stato un egoista... Avanti, tira fuori quello che hai dentro, una volta per tutte.

«Vengo qui a cena dopo giorni che non ci vediamo, a volte settimane, e tu dopo aver mangiato tutto il tempo in silenzio ti alzi e vai in sala ad accendere la televisione. Ma io chi sono per te? Ti do fastidio?

«Non ci conosciamo, anche se siamo padre e figlio. Non sai niente di me, non sai come mi sento e come mi sono sentito quando me ne sono andato. L'unica cosa che mi dici è che non vuoi i miei soldi e che appena potrai me li renderai. Mi hai rotto le palle con questa storia, sappiamo tutti e due che è una frase del cavolo. Non sopporto più questo tuo parlare della vita in termini di fortuna e sfortuna. Ancora adesso, dopo tutti questi anni, mi tratti da estraneo, da traditore. Che cosa devo fare per essere perdonato? Dimmelo!

«Da piccolo cercavo di non creare problemi e quando ho iniziato a lavorare al bar ho fatto tutto quello che potevo, lavoravo e mi mangiavo anche un po' della merda che era nel tuo piatto. Me ne sono andato con un peso sullo stomaco che nemmeno quando vomitavo riuscivo a tirare fuori. Perché forse tu non lo sai, ma io spesso la notte vomitavo.

«Ho rinunciato a tutto nella vita, soprattutto alla felicità, e mi sono buttato sul lavoro per cercare di risolvere i nostri problemi, per cercare una soluzione. Dovevo farcela, non c'erano alternative. E ce l'ho fatta. Ma non me ne frega un cazzo dei soldi. Invece di dirmi che me li ridarai, chiedimi piuttosto come sto, chiedimi cosa puoi fare per me come padre, non come debitore. Perché io desidero solo vivere bene e per farlo ho bisogno di un padre.

«Ho incontrato tanti altri padri là fuori che mi hanno aiutato, mi sono stati vicini, mi hanno insegnato molto, e senza di loro non sarei riuscito a realizzare ciò che ho fatto. E sono ancora tutti lì, pronti ad aiutarmi e a starmi vicino. Per me sono persone importanti, ma alla fine come padre ho scelto ancora te. Se sono ancora qui dopo tutti questi anni, è perché sei tu il padre che voglio.

«Adesso però mi interessa sapere se tu mi vuoi come figlio. Non voglio esserlo perché ti sono capitato, ma perché tu mi hai scelto. Sceglimi papà, o lasciami andare.»

Le ultime parole le ho dette con le lacrime agli occhi.

Poi, con calma, ho aggiunto: «E se ti chiedo di poterti accompagnare a fare le analisi, non rispondermi subito che non ne hai bisogno, ma prova a capire, cazzo, che magari ne ho bisogno io!».

Non lo avevo mai affrontato così di petto. Mia madre era seduta di fronte a me, in silenzio, e teneva le mani una sopra l'altra posate in mezzo al petto.

Io aspettavo una risposta da mio padre. Lui è rimasto zitto per qualche secondo, poi ha appoggiato le mani sul tavolo per alzarsi e senza dire nulla è andato nell'altra stanza, si è seduto in poltrona e ha acceso il televisore.

Il suo silenzio è stata una delle cose più dolorose che avessi mai provato.

Mi sono alzato anch'io, ho preso la giacca e me ne sono andato. La porta ha fatto un suono secco.

In macchina, tornando a Milano, ho pianto.

Quella sera è stata dura addormentarsi, ma poi sono crollato. Il mattino seguente non ho nemmeno sentito la sveglia. Mia madre nel pomeriggio mi ha telefonato per sapere come stavo.

«Bene, e scusami per ieri.»

«Non devi scusarti.» Dopo una breve pausa di silenzio ha aggiunto: «Lo sai com'è fatto. Non lo fa vedere, ma ti vuole bene, non devi pensare che non sia vero... Tu non lo sai ma quando non ci sei parla sempre bene di te a tutti. Appena qualcuno chiede di te, lui tutto orgoglioso inizia a farti complimenti e dice che siamo stati fortunati ad avere un figlio come te. Oggi a pranzo gli ho parlato... un po' alla volta vedrai che le cose cambieranno; porta pazienza, lo so che la frase "le cose cambieranno" non ti piace, ma questa volta sono io a dirtela...».

Mentre mi parlava mi sono messo a piangere, ma cercavo di non farglielo capire. Non sentivo nemmeno più cosa mi stava dicendo perché mi ripetevo le parole di prima: "... dice che siamo stati fortunati ad avere un figlio come te".

«Scusami ancora per ieri, mamma, non volevo.»

«Guarda che non ti sto rimproverando, ti sto solo dicendo di portare pazienza. Lo so, è quello che hai sempre fatto. Piuttosto, dimmi quando vuoi venire a mangiare che ti preparo le cotolette impanate come piacciono a te.»

«Va bene, ti chiamo in questi giorni e ti avviso.»

«Ti saluta il papà.»

Non era vero che mi salutava, ma ho fatto finta di crederci.

«Salutamelo anche tu. Ciao.»

20
Lei (il mio odore addosso)

A volte al mattino aspettavo che lei si alzasse e si pre-
parasse per andare al lavoro e quando era pronta le
impedivo di andarsene. Iniziavo a baciarla, volevo fare
l'amore. Lei mi diceva che era tardi, che non poteva,
e io, eccitato, cercavo di convincerla che non era importante che fosse in ritardo. Amavo la competizione
con il tempo e con i suoi impegni. Volevo scoparla sapendo che nulla poteva impedirle di scegliere me. Io
volevo essere più importante di tutto, volevo essere
irresistibile. Volevo vincere e quasi sempre ci riuscivo.

Fare l'amore così, rubando il suo tempo, in modo
veloce, senza nemmeno spogliarla del tutto, mi piaceva da morire. Vederla sistemarsi la gonna e i capelli
subito dopo e scappare velocemente senza nemmeno
lavarsi era una droga per me. Mi piaceva pensare che
non si lavava non solo perché era in ritardo, ma perché voleva sentire il mio odore su di sé tutto il giorno.

Quelle mattine ormai erano parte di noi, per questo
non mi mandava più il messaggio che mi aveva mandato la prima volta: *Ho ancora il tuo odore addosso.*
Non vorrei lavarmi mai.

21
La cura delle piante

Qualche giorno dopo la discussione con mio padre, per la prima volta ho ricevuto una lettera di mia madre. Ricordo a memoria alcuni passaggi:

... Quando ero piccola mi capitava spesso di piangere la sera a letto perché pensavo che un giorno i miei genitori non ci sarebbero più stati...

... Adesso che sto invecchiando ci sono momenti che mi fermo e mi vengono in mente un sacco di ricordi del passato: mio padre, mia madre, la mia casa, le mie amiche, te da piccolo. I ricordi dell'infanzia e dell'adolescenza sono più chiari dei ricordi recenti. Come se invecchiando tornassi indietro e mi avvicinassi a quell'età...

... Mi chiedo, Lorenzo, se sono stata una brava mamma come lo è stata la mia con me...

... Avere te come figlio significa non chiedere più niente alla vita. Vorrei tanto vederti più sereno, vorrei tanto che tu non vivessi sempre con la sensazione che ti manchi qualcosa, come è accaduto a tuo padre. Vedrai che pian piano le cose si sistemeranno anche con lui. Io gli parlo spesso e so quanto ci tiene a te.
Ti abbraccio tanto.

Mamma

Mia madre è una donna piccola, esile, delicata. Anche nei momenti più difficili non l'ho mai sentita lamentarsi. Non è mai stata sgarbata, maleducata, irrispettosa. Non l'ho mai sentita fare un commento negativo, mai un pettegolezzo. Non sembra nemmeno vera.

A volte la sera, quando sono a casa da solo, penso a lei e a quanto ha fatto per me solo con il suo esempio, la sua silenziosa presenza. C'era sempre quando avevo bisogno di lei. Senza mai essere invadente.

Anch'io, come mi ha scritto nella lettera, spesso la sera mi ritrovo a pensare a quando i miei genitori non ci saranno più e sto male. Quando penso a lei la immagino che gira per casa con il grembiule da cucina, la vedo mentre stende, mentre piega, mentre stira, mentre cucina le cotolette con il tegamino a cui è saltato via un manico, mentre beve il caffè seduta da sola in cucina. Penso spesso a lei e alle sue abitudini, a lei che conosce esattamente le porzioni di cibo da mettere nel mio piatto. Lei conosce le misure della mia vita. Penso alle sue parole, al suo eterno e infinito amore. Anche quello silenzioso. Profumato e buono come le saponette rosa che ancora oggi mette nei cassetti tra le magliette, i reggiseni e i foulard. Alla sua calligrafia sulle scatole negli armadi: *Sandali mamma*, *Scarponcini neve Lorenzo*, *Stivali marroni*.

Penso all'amore con cui cercava di far funzionare tutto, di metterci d'accordo, di farci sapere che lei era lì; alla difficoltà che ha sempre avuto nel gestire gli scontri tra me e mio padre. La sua pazienza nell'aspettare il tempo di pace. Come se il suo essere donna e mamma le permettesse di conoscere le dinamiche del mondo.

Non sono mai riuscito a scriverle una lettera, nemmeno dopo che ho ricevuto la sua. Un vortice nel mio stomaco si risucchia l'inchiostro.

Quella lettera, però, è stata l'inizio di una serie di emozioni che ho cominciato a provare con i miei. Qualche giorno dopo averla ricevuta, infatti, è successa un'altra cosa strana.

Erano le undici di una domenica mattina. Mi ero svegliato tardi e stavo bevendo un caffè guardando fuori dalla finestra. Mi piace soffiare nella tazza osservando la città: le regalo piccole nuvole mentre cerco di accendere tutti i miei sensi. La musica che ascolto la domenica mattina è quasi sempre la stessa. Conta molto anche la stagione e il tempo: James Taylor, Nick Drake, Cat Stevens, Bob Dylan, Eric Clapton, Carole King, Joni Mitchell, Cat Power, Norah Jones, Cesária Évora, Ibrahim Ferrer, Lucio Battisti.

Quel giorno mi era venuta voglia di mangiare una mela. Di solito mi piace sbucciarla facendo una sola striscia, senza interruzione, per questo mi concentro. Mentre tenevo la mela in mano ed ero impegnato a fare il giro con il coltello, è suonato il citofono. Mancava poco alla fine della mela, ho terminato in fretta il mio lavoro certosino, poi ho risposto: «Chi è?».

«Sono tuo padre... sono qui per le piante.»

"Per le piante?" ho pensato. Mi sembrava così strano... Non me lo sarei mai aspettato. A casa mia era venuto solamente una volta, insieme a mia madre, quando avevo traslocato.

«Sali. Ti ricordi? Terzo piano.»

Ricordo di aver detto una sera a cena da loro che ci sono molte cose che non sono in grado di fare in casa da quando lei se n'è andata. Soprattutto due. Infilare il piumone nel copripiumone e curare le piante. Per quanto riguarda la prima, molte notti ho dormito direttamente con il piumone, per quanto riguarda le piante invece ho tentato di imparare, ma con scarsissimi risultati.

Non ero preparato a quella visita, poi di domenica mattina, nel silenzio della casa. Mio padre è entrato con tutti gli attrezzi e due sacchetti di terra, un sacchetto di composto e un sacchetto di concime granulare per piante.

«Ti ho portato un cornetto per la colazione.»

«Mi sarei aspettato tutti tranne te.»

«Non te l'ha detto la mamma?»

«No. Vuoi un caffè?»

«Se lo devi fare per te sì... grazie.»

Ha aperto la portafinestra per andare in terrazza e ha appoggiato le sue cose.

Ho messo la moka sotto l'acqua fredda perché era ancora calda del caffè di prima e poi l'ho preparata per lui.

«Te lo porto qui fuori o entri a berlo?»

«No, portalo qui che altrimenti ti sporco tutto di terra.»

Si era tolto il maglione, quello che gli avevo regalato a un suo compleanno. Era la prima volta che glielo vedevo indossare. Mia madre me lo aveva spedito a casa a sistemare le piante e sicuramente era stata lei a preparargli il maglione da mettere. Lui probabilmente nemmeno se lo ricordava che era un mio regalo.

Quando ha finito, mi ha chiamato in terrazza e mi ha detto: «Ci sono alcune piante che puoi anche trascurare, tanto sopravvivono ugualmente, tipo questi gerani. Altre, come queste grasse, non hanno bisogno praticamente di molta attenzione, mentre questa e questa sono più delicate e devi starci dietro un po' di più. Ormai le hai comprate, ma la prossima volta devi scegliere le piante anche in base al tempo che puoi dedicare alla loro cura e alla vita che fai».

«Non le ho comprate io, sono cose che faceva lei...»

«Vabbe', ormai le hai, devi solo curarle un po' di più. Non tutte le piante sono uguali, qualcuna è più bisognosa di altre. Questa per esempio è messa male, ma non è morta: vedi qui dove l'ho tagliata? È ancora verde dentro, puoi ancora salvarla. Ti ho anche fissato meglio queste grate per l'edera. Visto che sono qui, hai qualcosa da mettere a posto? Ho anche il trapano nella cassetta degli attrezzi.»

«No... mi sembra di no.»

«Bene, allora vado. Se hai bisogno chiama. Se vuoi ogni tanto passo a controllarti le piante...»

«Va bene.»

«Ciao.»

«Ciao... e grazie!»

«Niente.»

Ero impacciato come un ragazzino al primo appuntamento.

Ho chiuso la porta e mi sono seduto sul divano. Mi sentivo stanco. La sua presenza in casa mi aveva tolto le energie, come se avessi fatto un trasloco.

Sono andato in terrazza e ho guardato tutto quello che aveva fatto: nei vasi la terra nuova appena annaffiata, il filo per l'edera, le foglie secche rimosse. Tutto era in ordine, mi è venuto da piangere.

22
Lei (la prima volta)

Lei è sempre stata diversa da tutte, fin dall'inizio. Solo un mese dopo esserci incontrati, le ho chiesto di venire a vivere da me. Non volevo conoscerla passo dopo passo, ma desideravo che ci buttassimo insieme e ci conoscessimo durante il salto. Con i piedi sospesi nel vuoto. Volevo cercare un'intimità prima ancora di sapere tutto di lei: l'intimità prima della conoscenza.

Lei ha accettato.

Non è stata una scelta affrettata, non è stato questo il motivo della nostra separazione. Lei non è invadente, ha sempre rispettato i miei spazi. Non si è mai voluta mettere tra me e il mio lavoro, tra me e i miei amici. Lei voleva essere a fianco, non "tra".

Penso a quando ci siamo visti la prima volta: ci siamo guardati negli occhi e ci siamo trovati subito antipatici. Io non la sopportavo. Eravamo a una cena e lei era seduta di fronte e me. Pur riconoscendo che era bella, era il contrario del mio tipo: capelli biondi e occhi chiari, di un azzurro intenso. Forse per questo lei non mi ha colpito. Sono le donne

mediterranee, more e con gli occhi scuri, a cattura-
re la mia attenzione. L'unico punto a suo favore era
la coda alta: mi piacciono le donne con i capelli rac-
colti in una coda. È stato il suo modo di fare che mi
ha attirato subito, più che il fisico. La maniera in
cui parlava e la sicurezza che mostrava. Le piaceva provocare, come a me. Ho accettato la sfida, tanto che poi abbiamo iniziato, tra battute e frecciati-
ne, a divertirci.

La sera stessa, dopo cena, abbiamo fatto l'amore.

L'ho invitata da me. La desideravo come non mi
era mai successo.

A casa ho girato la chiave nella serratura senza stac-
care gli occhi da lei e ho cominciato a baciarla prima ancora di chiudere la porta, con un piede. Sembrava che volessi sbranarla, divorarla, mangiarla di
baci. Le ho sciolto la coda e le ho tirato i capelli indietro per avere tutto il collo da mordere e baciare.
Le ho baciato le spalle, le labbra, il viso. Mi piaceva
così, pulito e senza trucco. Volevo fare l'amore lì, in
piedi, perché la voglia di lei era più urgente di tutto.
Più delle buone maniere, più delle domande. Non
volevo essere gentile, educato, rispettoso. Volevo che
conoscesse subito l'animale che mi porto dentro. E
io volevo l'altra lei, quella che nascondeva, che forse
aveva imparato a non mostrare per non farsi giudi-
care da uomini stupidi e limitati. La volevo femmina fino in fondo. La volevo donna, e la volevo subito. Per questo non la guardavo con occhi adoranti e
non le parlavo con voce tremante per l'emozione di
averla lì. No. Non in quel momento. Niente indu-
gi, niente spazio a insicurezze, nessuna gentilezza

in quel nostro inizio. Niente frasi dolci, niente lenzuola profumate e letti morbidi, ma muri freddi e il rumore di oggetti che cadono, e ansimi incisi con le unghie. Nemmeno una carezza. Quelle le conservavo per dopo, quando tutto fosse finito. Ed erano tante le carezze che volevo darle perché io ero già pazzo di lei. Le conservavo come il dolce a fine pasto. In quel momento, solo carne e sale e fiamma alta.

Era lì, appoggiata alla parete dell'ingresso di casa. La sua schiena scivolava lungo il muro mentre lei si strusciava contro di me, poi si aggrappava alle mie spalle e risaliva. Con le mani ripetevo ciò che dicevano le mie parole. La toccavo attraverso i vestiti, poi ho infilato una mano sotto la gonna. Era bagnata. Mi sono passato le dita sulle labbra, il suo sapore era buono. Volevo sottometterla, volevo che perdesse il controllo. Le ho sussurrato all'orecchio che per tutta la cena avevo desiderato prenderla e scoparla sul tavolo.

Lei mi ha chiesto: «Perché non l'hai fatto?».

Ho sentito subito che sarebbe venuta con me ovunque l'avessi portata. Ci sono donne alle quali è meglio non chiedere nulla perché ti direbbero comunque di no. Perché dicono di sì solo a chi non chiede. Le ho preso una mano e l'ho fatta girare, ora aveva la faccia contro il muro. Le ho sollevato la gonna, ho spostato le mutande.

«Dimmi che lo vuoi adesso...»

«Sì.»

La prima volta l'ho presa così. Dopo siamo finiti a letto e abbiamo fatto ancora l'amore. Lentamente. Volevo farla impazzire. Ero totalmente concentrato su di lei, sui suoi desideri. Una cosa che poi non mi ha più permesso di fare. Come molte donne, non amava sentire che ero ossessionato dal suo orgasmo. Per questo me lo ha permesso solo la prima volta, poi ha desiderato che mi perdessi anch'io con lei.

È stato chiaro fin da subito che non ci sarebbe stato solo un morso e via. Lei era la mia donna. Io il suo uomo.

Nonostante tutto è ancora così. Io me la riprenderò.

23
Il viaggio più lungo

Due giorni dopo che mio padre è venuto a casa a sistemarmi le piante, ho telefonato a mia madre. «Grazie per aver mandato il papà a sistemarmi le piante.»

«Quali piante?»

«Domenica. Le piante della mia terrazza. Gliel'hai detto tu, no?»

«No. Io non gli ho detto niente. Mi ha detto che andava da un amico e di non aspettarlo per pranzo. L'ho visto partire con gli attrezzi, ma non mi ha detto che veniva da te.»

Sono rimasto in silenzio.

«Che tipo tuo padre. Fa tutto di testa sua. Avete parlato?»

«No, mi ha sistemato la terrazza... ora sembra il giardino di Versailles.»

A Milano non uso quasi mai la macchina. A volte rimane ferma così tanto che non ricordo nemmeno più dove l'ho parcheggiata e mi trovo a cercarla per strada schiacciando il telecomando e sperando di vedere le frecce che si accendono. Un sabato mattina sono sceso e mi sono messo a cercarla perché dovevo andare a pranzo dai miei. Non la trovavo. Poi ho fatto mente locale sull'ultima volta che l'avevo usata e alla fine mi sono ricordato. Quando l'ho trovata sono salito, ma non partiva. Aveva la batteria scarica. Probabilmente avevo lasciato le luci accese. Non mi andava di risolvere il problema in quel momento. Ho chiamato un taxi e mi sono fatto portare in stazione. Sono andato dai miei in treno.

A tavola mio padre mi ha chiesto come andava il lavoro e che cosa stavo facendo e a fine pranzo non si è piazzato subito davanti al televisore. Quando gli ho chiesto: «Ma non guardi più la tv?», lui mi ha risposto: «Mi hanno stufato tutti». Miracolo.

Quel sabato, dopo pranzo, sono andato a fare un giro nella mia città; da quando non ci abito più la trovo sempre più bella. La vita più tranquilla, tutto più lento, silenzioso e a misura d'uomo. Se chiedi un'indicazione e vuoi sapere quanto ci metti a raggiungere qualsiasi strada, ti dicono sempre "cinque minuti". È una città in cui tutto è a cinque minuti.

Sono andato a trovare dei vecchi amici. Il bello della mia città è che posso anche uscire da solo e incontro sempre qualcuno che conosco. Nel tardo pomeriggio sono ripassato dai miei per salutarli. Verso le otto avevo il treno per tornare a Milano. Mia madre era in cucina, mio padre in cantina a fare i suoi soliti lavoretti.

«Ha detto il papà di prendere la sua macchina se vuoi. È andato a lavartela e ha messo la benzina, dice che è perfetta e che la puoi riportare con calma la prossima volta, tanto a noi non serve in questi giorni.»

Sono sceso in cantina a salutarlo. «Grazie per la macchina.»

«Ma grazie di che? Tanto a noi non serve, non mi costa niente...»

«Che stai facendo?»

«Mah, sistemo un po'. Voglio liberarmi di tante cianfrusaglie inutili che servono solo a fare polvere.»

«Ammazza, tu che butti via delle cose è veramente una novità!»

«Eh, sì, chi l'avrebbe mai detto?» ha commentato con voce ironica.

Quella sera sono tornato a Milano con la macchina di mio padre, tutta pulita e con la polverina profumata nel posacenere. Mentre guidavo ho pensato a noi due. Da bambino lo aspettavo dietro la porta di casa e quando rientrava mi buttavo addosso a lui, ed ero felice. Poi ho smesso di farlo, perché sentivo che era sempre preso da altre cose. Forse ho sbagliato io, avrei dovuto continuare a cercarlo. Invece a un certo punto nessuno dei due ha più fatto un passo verso l'altro. Da allora io e mio padre siamo stati separati da un muro di pioggia, fatto di gocce d'assenza.

Io sono cresciuto con il desiderio di non essere come lui. Volevo dimostrare di essere un uomo diverso. Da ragazzino mi sono dovuto confrontare con il mondo dei grandi e ho conosciuto subito la ferocia degli adulti. Ho dovuto imparare anche a fare i conti con le difficoltà economiche ed emotive della mia famiglia. Sono riuscito a liberarmi scappando, allontanandomi da quella situazione; ne sono venuto fuori prendendo botte su tutti i fronti e questo percorso di vita mi ha cambiato per sempre. Mi ha reso quasi anaffettivo, non per natura o per scelta, ma per istinto di sopravvivenza.

Non avendo mai investito negli affetti, nei rapporti importanti svelo tutti i miei limiti e le mie carenze di fondo. Avevo una donna che mi amava e che a modo mio amavo, ma l'ho lasciata andare via, proprio come mio padre ha fatto con me. Un padre che sto imparando a conoscere e al quale mi rendo conto di assomigliare ogni giorno di più.

Ripensando a quando lei – la "lei" che mi ha lasciato e se ne è andata e che tra un mese e mezzo si sposa – mi diceva che la sera tornavo a casa dal lavoro e non parlavo, che non si poteva mai fare niente perché ogni volta dovevo lavorare, mi rendo conto che sono le stesse cose che dicevo e pensavo io di mio padre da bambino.

Più cresco più sento di assomigliargli. Capisco cose di lui che prima non capivo. Sto diventando sempre più simile alla persona che ho combattuto per una vita. Avevo bisogno di occhi da uomo per vedere veramente mio padre. Ora che sono in pace con lui, quando ritrovo in me comportamenti simili ai suoi non sono più così spaventato o agitato. Anzi, mi sembra di essere meno solo. Sono sereno con lui e cerco di esserlo con me. Salvo lui nel tentativo di salvare me, perdono mio padre nel tentativo di perdonare me stesso.

Di mio padre ho capito una cosa importante, forse la più importante per me. Ho aspettato per anni che lui mi dicesse "ti voglio bene", senza sapere che me lo aveva detto quando era venuto a casa mia a sistemarmi le piante, o prestandomi la macchina o portando la mia a lavare, o quando mi ha chiesto se volevo che venisse a casa mia a montarmi la mensola nuova o quando mi ha riparato la bicicletta.

Non ha parole piene di sentimento e d'amore perché in lui si trasformano in azioni, in oggetti spostati, puliti, riparati, riordinati, creati. Il suo amore è pratico, è azione. Il suo dire è fare. Non riuscirà mai a dirmi "ti voglio bene", ma avrà sempre bisogno di fare qualcosa per esprimere questo sentimento.

Ho capito anche che, dopo tutti questi anni, se mi dicesse "ti voglio bene" o se mi abbracciasse, sarei quasi infastidito, sicuramente a disagio. Non riesco nemmeno a immaginare una frase del genere detta da lui.

Il giorno in cui mio padre è venuto a casa mia a sistemarmi le piante ha compiuto il viaggio più lungo della sua vita. Quel giorno mi ha scelto.

24
Lei (e i baci rubati)

Una sera eravamo in macchina e stavamo andando a una cena. Era primavera. Ci siamo fermati a un bancomat, lei è scesa ed è andata allo sportello automatico. Aveva un vestito blu che le segnava bene le forme e lasciava una parte di schiena nuda, le scarpe con il tacco alto e la suola rossa. Io la guardavo dalla macchina e non ho resistito, sono sceso e mi sono avvicinato.

Lei se ne è accorta e si è girata. «Cosa fai? Li prendo io i soldi.»

L'ho guardata e senza dire niente le ho dato un bacio sulla bocca, poi uno sul collo. Sono tornato in macchina e ho continuato a guardarla attraverso il finestrino. Si è girata un paio di volte verso di me mentre aspettavo che finisse. Sorrideva. Era felice. Aveva sentito quanto mi piaceva, quanto fossi pazzo di lei.

È risalita in macchina senza dire nulla, si è girata per appoggiare la borsa sul sedile posteriore e mi ha dato un bacio.

25

Equilibri collaudati

I miei genitori sono "brava gente". So che è un po'
vago come termine, ma non me ne vengono altri; se
dicessi "semplici" sarebbe anche peggio.

Dopo anni di duro lavoro e di sacrifici hanno venduto il bar. Il locale non era di loro proprietà, diciamo
che più che altro hanno preso qualcosa per la licen-
za. Con quei soldi e un piccolo aiuto da parte mia
sono finalmente riusciti a uccidere il mostro dei debiti. Sono andati finalmente in pensione.

Molti clienti del bar erano dispiaciuti. Ci sono state inaspettate manifestazioni d'affetto che hanno
commosso i miei. Soprattutto mia madre. Un signore quasi ottantenne, cliente fisso del bar da sempre,
ha addirittura scritto una lettera alla mia famiglia.
Mia madre me l'ha fatta leggere:

> Avverto la necessità di esternarvi il mio rincresci-
> mento, un vero e proprio dolore, nel vedere abbassate
> le saracinesche del bar ove per tanti anni mi avete ac-
> colto come uno di famiglia. Ultimamente le mie gam-
> be mi hanno impedito di venire frequentemente come
> avrei voluto, ma ciò non attenua il ricordo affettuoso

che conservo di tutti voi. Vi è sempre più aridità nel mondo, ecco perché lascio spazio al sentimento. Grazie di tutto e mi permetto di abbracciarvi.

Nel frattempo con un mutuo ho comprato la casa dove ora vivono i miei. Mio padre all'inizio non era d'accordo. Per convincerlo gli ho detto che comprare una casa a Milano era una spesa che non potevo affrontare, mentre nella città dove vivono loro i prezzi sono più abbordabili. Gli ho spiegato che per me era un investimento e, siccome non sarei tornato a vivere lì, piuttosto che lasciarla vuota preferivo che ci abitassero loro. Si è arreso.

Così adesso vivono una vita tranquilla in provincia. Prendono tutti e due la pensione. Minima. Un po' li aiuto, ma loro cercano di spendere il meno possibile. Sono fatti così, da sempre. Anche ora che non hanno più debiti non hanno cambiato le loro abitudini. Non desiderano una vita diversa. La spesa la fanno al discount, dove tutto costa poco, e spesso il formaggio sembra di plastica, le mozzarelle delle palline di gomma e le barrette di cioccolata sembrano ricoperte da una polverina bianca. Ho tentato più volte di convincerli a comprare cose più buone, ma non c'è niente da fare. «Lo sai che a noi va bene così, e comunque guarda che questi biscotti sono buoni...» Una volta ho voluto provarli per non essere prevenuto: si sono sbriciolati in bocca come segatura. Tutto è sempre la sottomarca di qualcosa. Come quando avevamo il bar e per noi compravamo cibi più scadenti, anche se li chiamavamo come quelli buoni. Lo chiamavamo prosciutto cotto ma era spalla, roast-beef ma era sottofesa; qualsiasi crema di cioccolata era Nutella, anche se non le assomigliava nemmeno come sapore.

A volte porto ai miei qualcosa di speciale ma, dopo aver spiegato tutta la particolarità di quel formaggio o di quel vino o di quel miele, loro subito mi dicono: «Non stare ad aprirlo per noi, riportalo a casa che lo mangi tu. Tanto sai che noi non le capiamo nemmeno queste cose». È vero, non sentono la differenza. O magari la sentono, ma preferiscono ciò che mangiano loro di solito. Non perché sia più buono, ma perché amano l'abitudine, anche nei sapori: un gusto diverso li agita, non riescono a capire se gli piace o no. Spesso dicono: «Sì, è buono, ma non capisco cosa le persone ci trovino, a sentirle parlare sembra che sia chissà che cosa...». Probabilmente dopo anni le papille gustative sono tarate su quei quattro sapori. Eppure sanno riconoscere i cibi buoni, infatti quando vado a mangiare da loro la spesa per me è diversa. Mia madre fa due spese, compra delle cose buone solo per me. Per esempio il prosciutto di Parma: quando mi srotola il pacchetto del prosciutto crudo mia madre negli occhi ha la luce dell'angelo dell'annunciazione. Tutta contenta mi dice: «Questo è buono, l'ho preso apposta per te...».

Se metto nel piatto di mio padre una fetta del prosciutto comprato apposta per me, lui mi dice di no, ma poi la mangia. Tra l'altro spazzola tutto quello che si avanza in casa. Mia madre dice sempre: «Se non riesci a finirlo, lascialo lì che lo mangia il papà questa sera». Se avanza qualcosa a cena, il piatto finisce nel frigorifero e l'indomani a pranzo sarà davanti a mio padre.

A loro non manca nulla, e va bene così. Se io cercassi di cambiare le loro abitudini, non li renderei più felici, anzi. Bisogna rispettare la dignità altrui e capire che ognuno è abituato alla propria misura. Stanno insieme da quasi quarant'anni e hanno equilibri e meccanismi molto collaudati, ma anche molto delicati. Dopo tutti questi anni, tra di loro sono nate dinamiche che io devo stare attento a non alterare.

Hanno un rapporto con le cose e con il cibo strettamente funzionale. Mangiare significa nutrirsi. Anche gli oggetti vengono comprati solo in base alla loro funzione, non seguendo un gusto estetico. Non comprerebbero mai una penna costosa, per esempio, non capiscono nemmeno le persone che lo fanno. «Basta che scriva. Perché spendere più soldi? Perché andare al cinema che tanto tra un anno lo fanno in televisione? Cosa ce ne facciamo della televisione a pagamento, noi guardiamo quello che c'è...»

La loro vita è cadenzata da abitudini, da orari sempre uguali. Adesso che sono in pensione hanno fatto solo piccoli aggiustamenti. Per esempio, quando mia madre esce la mattina a fare la spesa, lascia a mio padre, che ancora dorme, un bigliettino: "Sono andata a fare la spesa. Il giornale lo compro io". Prepara sempre la moka sul fornello e mio padre deve solo accendere la fiamma. Questo senza biglietto perché è così da sempre. Prima quando c'era il bar la preparava la sera. Il primo caffè mio padre lo preferiva dalla moka, poi al bar se ne faceva un secondo. Adesso, oltre alla moka, gli prepara anche le pastiglie per la pressione e per il diabete, su un tovagliolo, come fossero caramelle lasciate da Babbo Natale.

I bigliettini di mia madre mi commuovono. Sono le piccole attenzioni che hanno tra di loro, che hanno avuto per tutta la vita, e che io non sono stato in grado di ricreare con nessuna donna. Almeno finora.

Mia madre è cambiata poco da quando è in pensione. Continua a fare i mestieri di casa, ha più tempo per la spesa e si fa lunghe passeggiate in centro, ma tendenzialmente il tempo libero non la spaventa. Lei era meno coinvolta nel bar, era più madre e moglie, e continua a esserlo. È serena, forse perché non ha mai avuto grandi ambizioni nella vita, quindi è rimasta meno delusa.

Mio padre invece è più irrequieto, tormentato dalla sensazione di aver perso. Non è facile all'improvviso riorganizzare la propria vita quando la si è sempre dovuta inseguire, come ha fatto lui. Dopo che per anni ha solo lavorato, si è ritrovato a fare i conti con un tempo libero infinito, che non sa come gestire. I primi giorni da pensionato sembrava un matto: spostava vasi in terrazza ogni due giorni, pitturava e dipingeva muri, ringhiere, mensole, riparava la bicicletta, segava assi di legno, martellava e trapanava. Si lamentava e borbottava in continuazione. Queste cose io le sapevo perché me le diceva mia madre. Conoscendola, capivo che se si confidava con me voleva dire che lui era diventato veramente pesante, perché lei è sempre stata una persona molto discreta. Mi ha raccontato che non gli andava più bene niente: in macchina suonava il clacson in continuazione a tutti perché nessuno tranne lui sapeva guidare, se facevano qualche lavoro nel palazzo lo stavano facendo male, le diceva che non avrebbe dovuto lavargli i pantaloni perché non erano sporchi, e che non poteva appoggiare neanche una maglietta un attimo che subito lei gliela lavava...

Poi si è calmato. È entrato in una nuova fase, in cui la televisione lo ha sedato. Come si fa con i bambini piccoli quando la mamma deve fare altro. Ogni volta che tornavo a casa, lo vedevo davanti al televisore come un uomo che aspetta solo di morire perché non serve più a nessuno. Le poche parole che pronunciava erano piene di rassegnazione e stanchezza. La rabbia, forse grazie anche alle pastiglie che prendeva, si è attenuata.

Si sentiva più coinvolto dalla vita che vedeva in televisione che da quella reale. Era la TV a imporre gli orari della sua nuova vita. Non avendo il televisore in cucina, infatti, si è visto costretto, a causa della sua passione per un investigatore tedesco, a mangiare prima. Il direttore di rete che faceva il palinsesto a inizio anno decideva quando mangiavano i miei. Una volta gli ho proposto di mettere un televisore piccolo in cucina, ma lui mi ha risposto: «Non esageriamo, non sono mica ridotto così...».

Nella fase in cui mio padre era videodipendente ho regalato un televisore nuovo a mia madre, dal momento che hanno gusti diversi ed era sempre lei a sacrificarsi, rinunciando ai suoi programmi preferiti. Il televisore in camera da letto, quindi, apparteneva più a lei. Dopo cena uno andava sulla sua poltrona in sala e l'altra in camera da letto, non prima di avergli preparato le pastiglie per la pressione, sperando che lui non si dimenticasse di prenderle. Mia madre in camera guardava la TV in silenzio, mio padre invece aveva la tendenza a commentare, sbuffare, lamentarsi, e a volte addirittura discutere. La TV lo aiutava a tirare fuori un po' di rabbia. Mia madre mi ha detto che lo sentiva spesso parlare. Devo dire però che è un'abitudine che ha sempre avuto: anche quand'ero piccolo, se mentre stavamo mangiando vedeva al telegiornale un politico che detestava, con il boccone ancora in bocca iniziava a insultarlo.

I miei genitori adesso vivono la loro vita in maniera tranquilla e abitudinaria, e io non riesco nemmeno a convincerli a farsi un viaggio. Mio padre dice che non si muove per una questione economica, ma in realtà questa volta i soldi non c'entrano, è una scusa. Secondo me non vogliono viaggiare perché a loro sembra una cosa inconcepibile, un evento che scombussolerebbe le loro abitudini. Hanno paura: stanno bene a casa fra le loro cose, si sentono più al sicuro. Non vanno mai nemmeno al ristorante, tranne quando sono invitati a un matrimonio o a una comunione, ma anche in quel caso spesso mia madre ci va da sola.

Quando in TV vedono quei servizi sulle vacanze estive, con le spiagge affollate e le persone ammucchiate l'una sull'altra, commentano sempre con la stessa frase: «La gente è matta. Si stancheranno di più che a stare a casa!». Oppure, quando fanno vedere quelli che per sfuggire alla calura di agosto si bagnano la testa nelle fontane delle città: «Ma perché non stanno in casa invece di diventare matti così?». La parola matti è quella più usata. Soprattutto in dialetto.

Dopo lunghe insistenze, l'anno scorso sono riuscito a convincerli ad andare una settimana al mare. Ho dovuto prenotare una pensioncina, non perché volessi risparmiare, ma perché temevo che in un hotel di lusso si sarebbero sentiti a disagio. Invece nella pensione con il nome di donna e la proprietaria alla reception sarebbero stati più tranquilli. Mi sembrava più adatta a loro, che hanno bisogno di un contatto umano. Infatti hanno passato la maggior parte del tempo a chiacchierare con la proprietaria, a guardare la televisione con lei o a giocare a carte. Mia madre ha iniziato anche a darle una mano in cucina. Non era abituata a stare senza fare niente. La mattina si rifaceva persino il letto in stanza.

Nell'ultimo periodo, invece, mio padre è cambiato, lo guardo e sono più tranquillo perché capisco che è entrato in una nuova fase. La prima, subito dopo la pensione, era segnata dall'iperattività: lavoretti, cose da riparare, faccende da sbrigare. Nella seconda, quella della televisione, si è sedato. La nuova fase, che mi commuove, è quella in cui si è risvegliato.

Ha reagito, ha deciso per esempio di imparare a usare il telefonino e il computer, addirittura di studiare un po' l'inglese. È una fase adolescenziale. Ha voglia di imparare e di fare cose per sé.

26
Lei (e Satie)

Era una domenica d agosto. La città era deserta e il
giorno dopo saremmo partiti per le vacanze. Avevamo passato tutta la giornata con le tapparelle abbassate per proteggerci dal caldo. Lei indossava una
gonnellina corta senza maglietta, solo con il pezzo
sopra del costume. Girava per casa riordinando e fi-
nendo di fare le valigie. Io, in boxer e a torso nudo,
sistemavo delle cose di lavoro al computer.

Verso le sette ha alzato le tapparelle e ha aperto le
finestre. Dalla porta della terrazza è entrato subito
un po' di vento. Lei mi ha portato un bicchiere di tè
al limone. L'ho afferrata per un polso e l'ho fatta sedere sulle mie gambe. Le ho passato le mani tra i capelli. «Sono tutta sudata» mi ha detto. Le ho baciato
le labbra, poi una guancia, poi il collo. Le ho spostato il piccolo triangolo del costume, la mia mano si è
riempita del suo seno. Abbiamo fatto l'amore sulla
sedia. Quando è venuta ho sentito i suoi muscoli irrigidirsi e poi crollare abbracciandomi forte. Siamo
rimasti su quella sedia in silenzio mentre il vento ci
accarezzava.

Dal computer uscivano le note della *Gnossiennes n. 1* di Satie. Dopo qualche minuto dalla finestra è entrato un profumo di carne ai ferri e, non so perché, abbiamo iniziato a ridere. Poi ci siamo fatti una doccia e prima di cena siamo andati a fare una passeggiata. Mano nella mano, parlando tra un silenzio e l'altro e ascoltando dalle poche finestre aperte dei palazzi le voci dai televisori. La sera, prima di andare a dormire, ho svuotato e lavato il bicchiere del tè che mi aveva portato e non avevo bevuto.

27
Una nuova vita

Non ho figli, quindi non so cosa si provi a insegnare una cosa a un figlio, ma posso dire che insegnare qualcosa a un genitore è un'emozione inspiegabile. Anche cose stupide, come fare il Sudoku. È emozionante comunque. Sentirsi utili, sapere che gli si restituisce qualcosa è gioia pura e commozione.

Quando mio padre mi ha chiesto se lo aiutavo con l'inglese, non mi è sembrato vero. La mezz'ora passata insieme con lui a spiegargli semplici nozioni è stata una delle cose più divertenti che mi siano successe negli ultimi anni. Si è accorto subito che non è facile. Ha coinvolto anche mia madre, ma è stato quasi impossibile riuscire a far capire loro gli esercizi del libro che hanno comprato.

> Esercizio 1. Scrivere la domanda relativa alle seguenti risposte:
> Tom vive a Londra.
> Soluzione corretta: Dove vive Tom?
> Soluzione dei miei genitori: Si trova bene?

Allora ho cercato di spiegare che la domanda che

devono fare è quella prima della risposta e non dopo, ma non hanno capito.

Mi chiamo Mark.
Soluzione corretta: Come ti chiami?
Soluzione dei miei: E di cognome?

Demoralizzato, sono passato a un altro esercizio:

Esercizio 2. Unire correttamente i nomi della colonna uno con le azioni o i lavori della colonna due. Esempio: *Jane is a teacher.*
L'ultima combinazione dei miei genitori è stata: *My dog is a journalist.*

Mio padre ha lasciato perdere l'inglese, mentre con il cellulare va molto meglio. Ha imparato a mandare i messaggi e grazie a quelli ha trovato addirittura un modo per esternare con me i suoi sentimenti. Sembra una cosa assurda, ma è così: attraverso gli SMS comunica. Mio padre non riuscirebbe mai a scrivere una lettera come quella che mi ha scritto mia madre, ma negli SMS ha trovato un mezzo per comunicare con me. Il primo messaggio che mi ha scritto era: *ciao lorenzo come stai punto di domanda.*

Punto di domanda lo ha scritto per esteso perché mi ero dimenticato di insegnargli la punteggiatura.

Il secondo invece era: *quando vieni a casa che abbiamo voglia di vederti?*

Devo dire che quando mi è arrivato questo messaggio sono rimasto immobile con il cellulare in mano per almeno cinque minuti. Secondo me ha scritto "abbiamo" perché "ho" forse era troppo anche per lui.

Non sono stato capace di rispondere. Ho iniziato un messaggio almeno venti volte, poi ci ho rinunciato. Quando ho chiamato a casa e ho parlato con mia madre, le ho detto di dirgli che avevo ricevuto il messaggio. Lei non ne sapeva nulla. Forse non avrei dovuto dirlo, era un nostro segreto. Alla fine ero io quello più imbranato e impacciato dei due.

Ho rotto le scatole una vita intera perché mio padre non mi dava le attenzioni che desideravo e, adesso che ce la stava mettendo tutta per farlo, io non ero in grado di gestire la situazione, di reagire, di rispondere.

Non riesco a essere naturale quando mi manda i messaggi; non importa cosa scrive, sono sempre emozionato quando ne ricevo uno suo, come lo sono quando mi presta la macchina e prima la fa lavare e ci mette la benzina, quando mi fa i complimenti per il mio lavoro, quando mi chiede come sto, se sono fidanzato, se ho intenzione di fare dei figli.

Ultimamente mio padre si comporta come se si sentisse in colpa nei miei confronti e cercasse in qualche modo di recuperare. Adesso è lui che mi cerca e, ironia della vita, spesso mi ritrovo a dire ciò che mi diceva lui quand'ero piccolo. Come quando, un giorno, mi ha chiamato al telefono.

«Domenica vieni? Devo farti vedere una cosa che ho trovato in cantina...»

«Non posso papà, devo lavorare.»

Il nuovo rapporto con lui è veramente speciale per me, diverso da quello che ho con mia madre. Io e lei a volte non parliamo nemmeno perché ci basta uno sguardo per capirci.

Gli sms di mio padre sono per assurdo più potenti delle parole scritte da mia madre nella sua lettera.

Mia madre è anche più fisica: lei riesce ad abbracciarmi. Scrivendomi quella lettera lei ha fatto un gesto straordinario, commovente ed emozionante, ma mio padre per riuscire a scrivere quelle poche parole sul telefono ha fatto un viaggio molto più lungo e impervio. Per farlo si è dovuto mettere in gioco, si è dovuto rendere conto di tante cose. Quando mi ha scritto *ciao lorenzo come stai punto di domanda*, senza rendersene conto ha raccontato un miracolo.

28
Lei (che aveva capito)

Lei non era gelosa, non era una che controllava. Io comunque non l'ho mai tradita. Se lo avessi fatto, mi avrebbe scoperto dopo un secondo. Prima di tutto perché non credo di essere particolarmente bravo a mentire, e poi perché lei aveva uno strano talento, un sesto senso per certe cose. Per esempio nel mio ufficio c'era una ragazza che mi piaceva come tipo. Se non fossi stato fidanzato probabilmente ci avrei provato. Ma lo ero, e non ci ho fatto niente, solo qualche chiacchierata ogni tanto. Un giorno lei, la donna che mi ha lasciato e che tra poco si sposa, è venuta in ufficio da me. A casa, la sera, non mi ha chiesto di nessuna delle ragazze che ha visto in ufficio, mi ha fatto domande solamente su di lei. Non so come abbia fatto a capire. Anche se ero a posto con la coscienza, rispondevo con imbarazzo. Non so se mi abbia fatto quelle domande per farmi capire che aveva capito, non ne abbiamo mai parlato.

Io invece ero geloso di lei e una volta, mentre faceva la doccia, ho preso il suo cellulare e ho controllato tutte le cartelle: messaggi ricevuti, inviati, salvati. Ho controllato anche le telefonate in uscita e in entrata. Appena mi sono accorto che stava uscendo dal bagno, ho riappoggiato il telefono, ma la luce dello schermo è rimasta accesa. Lei ha visto e non mi ha detto nulla. Non ne abbiamo mai parlato, anche se io so che aveva capito. Mi sono sempre chiesto se avrà pensato che l'ho fatto perché ero follemente innamorato o perché ero morbosamente geloso. Sempre che tra queste due condizioni ci sia qualche differenza.

29

E invece no

L'ultima campagna su cui io e Nicola abbiamo lavorato era importante: il lancio di un nuovo modello di auto. Il tipico lavoro che ti costringe in studio fino a notte fonda. Una sera abbiamo fatto pausa chiamando la pizzeria per farci portare due margherite. È bello stare in ufficio quando è vuoto. Tutto è tranquillo, silenzioso e anche chiacchierare e mangiare la pizza dal cartone ha un certo fascino. Abbiamo aperto una bottiglia di vino rosso che teniamo in ufficio per quel tipo di occasioni.

Quella sera Nicola continuava a messaggiare con il cellulare.

«Ma che c'avrai sempre da scrivere?» gli ho chiesto.

«Sto scrivendo a Sara.»

«L'avevo capito. Con lei sei così fin dall'inizio.»

Una volta per corteggiare una donna dovevi prima convincerla a uscire, poi dovevi cercare di farti conoscere il più possibile, parlando per delle ore e mettendo un sacco di carne al fuoco. Oggi con gli sms puoi creare subito un rapporto e darle un'idea di te, di che tipo sei. La prima volta che ci esci a cena, se ti sei messaggiato un po' con lei, sai già più o meno con chi hai a che fare. La cena è diventata la finale, non è più una partita delle qualificazioni. Mandarsi SMS con il cellulare ormai è sufficiente a sentirsi più vicini, più intimi.

Bisogna però imparare il linguaggio dei messaggini, che non consiste solamente in ciò che scrivi. Se non conosci la psicologia degli SMS, rischi che alla cena non ci arrivi nemmeno, sei eliminato prima della partenza. Il valore lo determinano anche le sfumature. L'ora, per esempio. Un messaggio in piena notte, o di mattina presto, dà spazio a mille riflessioni: "Mi ha pensato appena si è svegliato... Mi ha pensato prima di addormentarsi...". Soprattutto le donne stanno attente a questi dettagli. La quantità, poi, è importantissima. Quanti messaggi ricevi o invii è una faccenda delicata da gestire. Rischi di sembrare poco interessato oppure, se esageri, un uomo pesante, invadente, insicuro. Inoltre è importante quanto ci metti a rispondere. Infine è fondamentale l'interpretazione degli SMS: uno magari scrive un messaggio ironico, l'altro lo fraintende e risponde incazzato.

«Sei regredito all'età adolescenziale» ho detto a Nicola.

«Un po' sì. Ho quasi quarant'anni e Sara ne ha venticinque. Però mi piace sempre di più. Mi diverto, lei è simpatica e intelligente. E poi è più matura della sua età, non è di quelle che usano il "cioè" come una virgola. La tua amica Giulia...»

«È anche amica tua.»

«Lo so, comunque Giulia l'altro giorno mi ha tirato fuori la frase che tutte le donne dicono di quelle più

229

giovani: "Mi spieghi che hai da dire tu a quarant'anni a una di venti?".»

«E tu cos'hai risposto?»

«Innanzitutto ne ho trentasette, non quaranta, e lei venticinque e non venti, tanto per essere precisi. E poi le donne sono fantastiche: quando parlano di sé, ti dicono che già da ragazze erano più grandi dei loro coetanei, le altre donne invece, a sentire loro, anche a venticinque anni sono stupide e vuote. Come se le trentacinquenni fossero tutte intelligenti, simpatiche e soprattutto interessanti. Tra l'altro anche sessualmente non è detto che quelle più grandi siano più spigliate, disinvolte e capaci, anzi. Elisabetta aveva trentaquattro anni quando le ho dovuto spiegare come si fa una sega a un uomo. Per dire...»

«Sarei curioso di sapere come glielo hai insegnato. Cosa le hai detto?»

«Niente, le ho spiegato che deve impugnarlo come se prendesse in mano un canarino. Non devi ucciderlo stringendo troppo, ma neanche farlo scappare via.»

«Beh, devo ammettere che è un'immagine che aiuta. Dovesse servirmi, la userò. Comunque si capisce che con lei è diverso, che con lei *sei* diverso. A parte la ricaduta che hai avuto con Valeria, hai smesso anche di andare in giro a scoparti tutto quello che si muove. Questa mi sa che ti ha preso veramente.»

«Ho capito che stare con tante donne alla fine è solo un buon metodo per stare soli. La sessualità sfrenata e continua conduce alla non significazione del mondo.»

«Segniamocela questa, che la usiamo come *claim*:

"La sessualità sfrenata e continua conduce alla non significazione del mondo". Ma come caspita ti è uscita una frase del genere?»

«Non è mia. Non mi ricordo di chi è, ma non è mia. Comunque mi piace passare il tempo con lei, anche perché essendo così giovane ha una vita ancora piena di possibilità e di scelte da fare. Lei non ha ancora chiaro in testa che cosa vuole diventare. Io sono in una fase pericolosa perché sento che sto diventando come il protagonista de *La morte a Venezia*. Come Gustav sono attratto dalla bellezza e dalla giovinezza che in me ormai svanisce. Non sai che gioia quando le consiglio un libro o un film che non conosce. Sono sicuro che le piacerà, sono certo che le sto dando qualcosa che in qualche modo la cambierà. Quando mi succede mi rivedo alla sua età. Oppure quando facendo l'amore le insegno una cosa nuova e scopro che le piace, che la fa godere. Con le ragazze così giovani è tutto più leggero, più facile. Mi piace fare un sacco di cose con lei, con lei riesco ancora ad andare nei ristoranti con le fotografie dei piatti sul menù. E poi lei fa parte di una generazione abbandonata, una generazione che va aiutata perché è più sfortunata di noi: parlano male, mangiano male, scopano male, si drogano male. Ma lo sai, anche se non c'entra nulla, che Sara non ha il segno della vaccinazione sulla spalla?»

«Non sa nemmeno cos'è il Commodore 64?»

«No.»

«Non ha mai visto i portachiavi fluorescenti, tipo filo del telefono?»

«Non credo, forse sì, ma era piccola. Una differenza di dodici o tredici anni significa che è nata quando noi andavamo alle medie. Ti ricordi quando a quell'età si usciva il sabato pomeriggio a fare le vasche in centro, avanti e indietro, per cercare di rimorchiare? E le nostre prime storielle? È come se in quegli anni fossimo usciti da scuola, andati a casa e poi, dopo esserci fatta una doccia e messi il gel, fossimo andati a rimorchiare nel reparto maternità di un ospedale. Ti rendi conto? Ma sono pazzo di lei, e lei lo sa. Sai quante volte la tengo sveglia tutta notte?»

«Riesci ancora a scopare tutta la notte? Beato te.»

«No, non scopando... perché russo.»

«Ma vaffanculo.»

«Comunque adesso sto per dirti una cosa importante. Ho aspettato un po' a dirtela.»

«Come sempre. Devo preoccuparmi? Non so se posso reggere un'altra notizia dolorosa.»

«Sì, forse dobbiamo preoccuparci. Tutti e due. È una decisione che ho preso.»

«Vuoi che ci licenziamo, cambiamo lavoro e apriamo finalmente l'agriturismo?»

«Non ancora.»

«Allora spara.»

«Hai presente quando alle feste a volte succede di vedere uno di quegli uomini soli, tristi e ubriachi, con la cravatta allentata, seduti su una sedia a bucare i palloncini con la sigaretta?»

«Sì, ho presente l'immagine... ma che vuoi dire?»

«Un po' di tempo fa ho pensato che comunque vada vorrei evitare di diventare uno di quegli uomini patetici. Ho deciso che non voglio finire così...»

«Questo discorso è assurdo.»

«No, non è assurdo. Io vivo come se fossi sempre a un party e ho paura che un giorno questa festa finisca, le persone interessanti e da amare se ne siano già andate con qualcun altro, mentre io rimango lì, da solo, a far scoppiare i palloncini. Allora ho deciso di cambiare, ho preso una decisione importante.»

«Vuoi mettere la testa a posto?»

«Ho chiesto a Sara di venire a vivere da me.»

«Uau! E ti è venuto in mente così? Pensando a te, ciccione, seduto ubriaco a bucare palloncini...»

«No, in realtà è stata lei a convincermi.»

«È stata lei a chiederti di andare a vivere insieme?»

«Non direttamente. Mi ha convinto per come si comporta con me, per quello che mi dice, per come mi sento con lei. Lo sai che io non ho mai voluto prendermi la responsabilità di una persona. In questo sono come te. Non chiediamo nulla agli altri, affinché gli altri non chiedano nulla a noi. Una sera volevo farla scappare da me, volevo che mi lasciasse per sempre. Volevo liberarmi di lei. Le ho scritto un messaggio dicendole di non perdere tempo standomi vicino e di stare attenta a uno come me. Lei mi ha risposto e quando ho letto il suo messaggio ho sentito che qualcosa era cambiato.»

«Cosa ti ha risposto?»

«Mi ha mandato uno di quei messaggi talmente lunghi che mentre li leggi continuano ad arrivare: *"Non è tua responsabilità e nemmeno compito tuo proteggermi. Lo so che tu mi vedi come una ragazzina e forse hai ragione, perché in fondo lo sono. Ma anche tu devi stare attento: anch'io potrei cambiare idea. È un rischio che ci dobbiamo prendere. Se uno non se la sente più è giusto che se ne vada. E nemmeno tu sei una porta chiusa. Per lo meno io non ti vivo così. Ti amo. Questo è l'unica cosa di cui sono certa adesso. L'unica che conta per me. Se invece le tue parole sono delle scuse per lasciarmi o perché ti sei stancato di noi dimmelo subito. In questo caso sì, sarebbe una perdita di tempo. Ciao".*»

«E tu dopo un messaggio così che le hai risposto?»

«Sono passato a prenderla e ha dormito da me. Quella notte ho deciso che volevo convivere con lei. Come è successo a te qualche anno fa.»

«Lasciamo stare, non prendermi come esempio... guarda com'è finita!»

«Appunto. Lo faccio per questo: se non è lei la ragazza per me, lo scopro subito. Con la convivenza accelero i tempi...»

«Beh, non è molto ottimista come progetto. Potresti anche intenderla al contrario: lo fai perché se è lei la donna per te hai guadagnato dei giorni...»

«Mettila come vuoi...»

«E quando glielo hai chiesto?»

«Più o meno un paio di settimane fa.»

«E me lo dici solo adesso?»

«Aspettavo la sua risposta... se mi avesse detto di no, non te lo avrei nemmeno detto.»

«Quindi ha accettato.»

«Sì.»

«Comunque, invece di dire che ti sei deciso per via di quell'immagine dell'uomo triste alla festa, perché non ammetti semplicemente che ti sei innamorato, che la ami?»

«Non so se la amo... ci sto bene, sono tranquillo, sono me stesso, rilassato. Con lei è tutto naturale.»

234

«Byron ha detto: "La felicità è nata gemella". Non senti le farfalle nello stomaco?»

«No... per adesso ci sento solo questa pizza! Cazzo, era di gomma, mi sembra di aver mangiato un canotto da rafting...»

«Sì, anche a me si è gonfiato un tendone da circo in pancia.»

«A proposito di farfalle nello stomaco, ho letto ieri una cosa strana. Sai cosa trovano nello stomaco delle farfalle?»

«Chi?»

«Gli studiosi.»

«No... onestamente su cosa trovano gli studiosi nello stomaco delle farfalle mi trovi impreparato.»

«Lo sperma...»

«Ecco, sto già meglio, non potevi essere cambiato così rapidamente. Ora ti riconosco.»

«No... fammi finire. Lo sperma della farfalla maschio è contenuto all'interno di palline. Ogni volta che si accoppiano il maschio rilascia dentro la farfalla femmina una pallina. Il guscio di quelle palline in cui è contenuto lo sperma rimane nello stomaco delle farfalle per sempre. Quindi se si apre lo stomaco di una farfalla femmina si capisce quanti rapporti sessuali ha avuto...»

«A me sembra una stronzata. Ma poi scusa, la farfalla maschio viene nello stomaco della farfalla femmina? Cioè, loro si riproducono con il sesso orale?»

«Boh, non lo so, questa storia l'ho letta su internet, magari è davvero una cazzata. Però se vuoi a casa ho una collezione di farfalle... In ogni caso, io so solo che se fosse così anche per noi umani in alcune donne troverebbero la vasca delle palline, quella per far giocare i bambini!»

«Invece di dire minchiate, dimmi se sei felice che viene a vivere da te...»

«Certo, anche se sono un po' spaventato. Mi ricordo ancora cosa mi dicevi della convivenza: che eri arrivato a odiare persino il rumore del cucchiaino nel vasetto dello yogurt.»

«Adesso quel rumore mi manca come una delle cose più belle della vita. Ma io sono malato. Ci sono anche un sacco di cose belle nel vivere insieme. Hai bisogno di una mano per il trasloco?»

«No, grazie, mi ha detto che non ha molte cose da portare.»

«Detto da una donna non è esattamente la stessa cosa che intendiamo noi.»

«Infatti domani mattina alle otto vado da Massimo a prendere il furgone, così facciamo un solo viaggio.»

Massimo è il cugino di lei, la lei che mi ha lasciato e se ne è andata. Lui è rimasto nostro amico, anche se io l'ho frequentato un po' meno nell'ultimo periodo.

«Cazzo, alle otto? Non puoi andare più tardi? Sai che finiremo alle tre stanotte, se ci va bene.»

«Alle otto e mezzo lui parte e va in montagna.»

«Non potevi andarci questa sera?»

«Tornava tardi... oh, ma sembra che devi andarci tu domattina!»

«Okay, hai ragione. Cerchiamo di fare presto allora... dove eravamo rimasti?»

«A "Buoni si nasce, bravi si diventa".»

«E come cavolo ci siamo arrivati a questo *claim* per un'auto?»

«Boh, mi sa che la pizza ci ha spento il cervello.»

Quella notte sono tornato a casa alle quattro. In macchina mi sono accorto di essere contento per Nicola, felice per la notizia della sua convivenza.

Anch'io desidero convivere ancora con lei. Desidero riprendermela. Certo, ricordo che quando convivevo ci sono stati momenti difficili in cui mi sentivo soffocare e volevo scappare. A volte penso che non riuscirò a correggere me stesso fino in fondo, che forse è troppo tardi per cambiare e diventare un altro da ciò che sono. Ma voglio tornare a vivere con lei. La condivisione quotidiana, addormentarsi e risvegliarsi insieme, mangiare con lei e tutti gli altri aspetti di una convivenza, nonostante i miei dubbi e le mie paure, continuano ad affascinarmi. Mi rendo conto di non avere le idee chiare: da un lato la convivenza mi spaventa, dall'altro mi attrae. Ma non posso farci niente. E so che mi restano pochi giorni per convincerla a tornare.

Arrivato a casa, avrei voluto aprire la porta e trovarla a letto che dormiva. E invece no.

30
Lei (e il nostro profumo)

«Adesso lasciati abbracciare e non fare l'antipatico dicendomi che sono appiccicosa» mi ha detto una sera a letto. Era buio e non riuscivo a vederla, sentivo solo la sua voce e il calore del suo corpo.

La stanza buia, le labbra morbide, l'odore della sua pelle che insieme al mio dava vita a un terzo profumo, che era il risultato di un'unica combinazione al mondo. Noi due mischiati. Io e lei.

Quanto darei per sentirlo ancora.

Senza lei sono un mezzo profumo.

31
Quello che non sono

Quando Nicola mi ha dato la notizia che lei si sarebbe sposata, non ho capito esattamente cosa provavo dentro di me.

«Cazzo, come si sposa? In che senso? Ma no, ma
figurati...»

Quella notizia mi ha sconvolto come fosse un lutto, quasi mi avessero detto che era morto qualcuno
a cui volevo bene.

«E poi, scusa, da quanto tempo è fidanzata? Io sapevo da meno di un anno. Ma ci si può sposare con
uno dopo meno di un anno?»

«Massimo mi ha detto che stanno bene insieme e
che questo qui la vuole sposare subito, fare dei figli...»

«Sì, sì... ho capito, non voglio sapere niente di loro
due. Ma lui com'è?»

Sapevo che Nicola li aveva incontrati una volta per
caso in un bar... per fortuna io non c'ero.

«Dài, lasciamo stare. Piuttosto che posso fare per
distrarti? Chiamo una escort? Andiamo a giocare al
bingo?»

Siamo rimasti a casa e io ho bevuto più vino di

lui. Il giorno dopo in ufficio ho chiesto a Nicola di aiutarmi a fare una cosa stupida, una cosa che non avrei mai pensato di voler fare. L'ho guardato negli occhi e gli ho detto: «Voglio vedere che faccia ha».

«Chi?»

«Il tipo che se la sposa.»

«Non sei serio, vero? Stai scherzando...»

«No. Portami a vederlo, lo so che sai dove lavora.»

«Lo sai anche tu.»

«Sì, lo so, ma da solo non ho il coraggio di andarci. Ti prego, accompagnami. Possiamo andare adesso sotto il suo ufficio e aspettare che esca per la pausa pranzo... sperando che la faccia.»

«A cosa ti serve?»

«A niente.»

«Mi sembra una buona ragione. Andiamo.»

Ci siamo piazzati di fronte al suo ufficio, su una panchina dall'altro lato della strada. Erano le undici e mezzo passate da poco. Di lui sapevo poche cose. Per esempio sapevo che era un cazzo di ingegnere. Non di quelli magrini e con gli occhiali, tipo nerd, no, lui era uno di quelli sportivi, con i tatuaggi, simpatico e pieno di qualità fastidiosamente positive.

Quando Nicola mi aveva detto che lo aveva incontrato con lei, io l'avevo martellato di domande, ma quando aveva iniziato a parlarmi di lui lo avevo interrotto: «Okay, okay... Basta così, basta così... è sufficiente». Da altre persone poi avevo raccolto ulteriori informazioni: le ho messe tutte insieme e con la mia immaginazione ho creato un mostro, come Frankenstein. Solo che 'sto cazzo di ingegnere è pieno di pregi che me lo fanno odiare ancora di più. Lui non c'entra, lo so, ma io non lo sopporto ugualmente.

Nicola controllava attentamente l'uscita del suo ufficio e ogni tanto faceva dei commenti: «Questa è una cosa da donne e da malati. Siccome non sei donna voglio avvisarti che sei malato. Si comincia così, pensando che sia una cosa strana, poi dopo la prima volta la cosa ti sembra normale, finché un giorno ti ritrovi che su questa panchina ci vivi e ci dormi, coprendoti con un giornale».

Dopo aver detto una serie di stronzate per quasi due ore, finalmente Nicola ha esclamato: «È lui!».

Ho guardato quel cazzo di ingegnere: non poteva essere l'uomo che lei stava per sposare. Eppure sì, era proprio lui. Era completamente diverso da come me l'ero immaginato, completamente diverso da un uomo che poteva stare con lei. Cosa c'entrava lui? L'ho seguito con lo sguardo mentre camminava sul marciapiede, non l'ho mollato nemmeno un istante. Dopo dieci metri si è infilato in un bar.

Negli anni in cui siamo stati insieme ho scoperto molti dei segreti che le appartenevano. Ci sono stati momenti in cui si apriva completamente con me, in cui piccoli particolari la portavano lontano coi ricordi. È stato così che mi ha svelato frammenti della sua infanzia e della sua vita, ricordi quasi dimenticati. Così ho saputo che da piccola aveva sul comodino una lampada rossa, che il lampadario in camera sua aveva i disegni degli Aristogatti e che la sua bicicletta aveva la sella bianca. Così ho scoperto che da bambina amava fare il bagno perché pensava di essere una sirena. So che da bambina aveva l'accappatoio giallo. So che è stata spinta giù dallo scivolo da suo fratello e cadendo si è fatta male, tanto che le hanno messo dei punti. So che guardava i cartoni animati a testa in giù sul divano. So che quando ha avuto le prime mestruazioni ha subito un piccolo trauma: sua madre non le aveva spiegato niente, le aveva detto solo che non facevano male e che bastava lavarsi. Quando le sono venute, lei si è lavata ed è andata a scuola. A metà mattina si è ritrovata di fronte ai compagni con la gonna sporca di sangue. È scappata in bagno terrorizzata e piena di vergogna e non è più tornata in classe. La professoressa l'ha raggiunta subito e rassicurandola le ha spiegato tutto. È stata la prima volta che ha sentito la complicità femminile nella sua vita. So che il suo quadro preferito è la *Maja desnuda* di Goya. So che si commuove sempre davanti al *Cristo morto* del Mantegna. So che prima di andare a dormire beve sempre una tisana; quando invece beve la camomilla, odia il fatto che la bustina galleggia e non va bene a fondo. I suoi film preferiti hanno come titolo sempre due persone: *Io e Annie, Harold e Maude, Minnie e Moskowitz, Jules e Jim*. So che libri come *La vita davanti a sé* di Romain Gary, *Povera gente* di Fedor Dostoevskij o *Tenera è la notte* di Francis Scott Fitzgerald li rilegge a scadenza di qualche anno e ogni volta si commuove.

Mi chiedo se lui, l'uomo che sto spiando, sappia tutte queste cose. Se sia entrato nelle pieghe della sua vita e, se sì, in quali. Sono geloso in maniera morbosa della sella bianca, del lampadario degli Aristogatti, della lampada rossa. Sono geloso di quella mattina a scuola in cui le sono venute le mestruazioni, e dei punti che le hanno messo dopo che è caduta dallo scivolo. Non voglio dividerli con lui. Mi chiedo che cosa saprà lui che io non so? Lei gli avrà parlato anche di me? Che le avrà detto? Cosa sa lui di me?

Ho avuto la tentazione di entrare nel bar, presentarmi e dirgli: «Lasciaci in pace, ingegnere. Non sono cose che ti riguardano. Tieni giù le mani dalla sella bianca, dalla lampada rossa e dagli Aristogatti».

Invece mi sono girato verso Nicola e in maniera molto fredda ho detto: «Okay, andiamo».

Ora potevo finalmente dare un volto alle mie fantasie.

Non riuscivo a togliermela dalla testa. Avevo accettato con fatica che stesse con un altro uomo, ma l'idea che si sposasse non mi sembrava vera. Avevo sempre pensato che chiunque avesse conosciuto dopo di me non avrebbe mai fatto la differenza, come non la facevano le donne che incontravo io. Noi eravamo destinati a stare insieme e lei non avrebbe mai amato nessuno come ha amato me. E poi, cazzo, non ci si sposa dopo nemmeno un anno di fidanzamento! Conviene aspettare un po', conoscersi meglio, non fare le cose di fretta, perché poi finisce che ci si pente.

La sera in cui Nicola me lo ha detto ho fatto finta di niente, ma appena è uscito di casa ho provato subito a chiamarla. Volevo dirle che adesso facevo sul serio, che non scherzavo, che lei non poteva sposare un altro, che ero pronto a vivere con lei, nella stessa casa, e ad avere un bambino. Ma lei non mi ha risposto. Il telefono squillava, inutilmente. Ho iniziato a pensare che non mi aveva risposto perché era con lui, sicuramente erano a letto abbracciati dopo avere fatto l'amore e stavano fantasticando sul loro futuro insieme. Avere molta fantasia mi ha aiutato tante volte nella vita, ma in certe occasioni è devastante.

Avevo passato la notte passeggiando completamente nudo per casa, entrando e uscendo nelle stanze senza toccare niente. Ogni tanto mi fermavo a guardare fuori dalla finestra senza vedere nulla. La mattina dopo, prima di chiedere a Nicola di accompagnarmi a vedere la faccia di quel cazzo di ingegnere, mentre ero in ufficio mi è arrivato un messaggio di mio padre sul cellulare. Ciò che c'era scritto andava oltre ogni mia aspettativa: *grazie per tutto quello che hai fatto per me ciao.*

Quel messaggio avrebbe dovuto rendermi felice, invece mi ha messo in uno stato di confusione maggiore. Non so cosa c'è di sbagliato nella mia testa.

C'era voluto tanto tempo, ma alla fine mio padre c'era. Le cose evolvono, cambiano. A quel punto ero io che mi dovevo dare una mossa: avrei dovuto ringraziarlo, fargli capire che mi ero accorto di tutto quello che stava facendo per me, ma non ci riuscivo. Non avevo ancora trovato il momento giusto, le parole e il coraggio di farlo. Stavo male perché lei si sposava ed ero in difficoltà con le parole da dire a mio padre.

Proprio in quei giorni mia madre mi ha detto che forse lo stavo perdendo per sempre. Come con lei: stavo perdendo le persone che più amavo.

32

La luce del mattino

C'è un istante durante alcune giornate in cui qualcosa di sospeso, di astratto, come sganciato dal tempo, si impossessa di me. È un attimo, un'invisibile carezza, come un battito d'ali o il passaggio di un angelo. È un istante che dura poco, ma che *è*. Come se tutto intorno si fermasse.

Ho sempre pensato che questa sensazione fosse una cosa mia, invece sbagliavo la prospettiva: in realtà sono io ad appartenerle. Nella maggior parte dei casi mi capita al mattino molto presto o verso l'ora del tramonto. Sono i momenti in cui mi commuovo più facilmente, in cui anche un piccolo particolare si fa notare, fa sentire la sua voce. Capita d'estate, quando il cielo azzurro inizia a diventare indaco e si vedono le prime stelle bianche e gialle. O d'inverno, quando si accendono le prime luci delle case, delle macchine, dei lampioni. Non importa dove sono. Mi commuovo anche se mi trovo in autostrada. E allora in quell'attimo, seduto dentro l'auto, può accadere che anche il percorso di una goccia d'acqua sul vetro conduca a me, come se stesse scivolando sulla mia anima.

Poi, lentamente, dopo questa sospensione eterea in cui sono risucchiato, torno in me. La pelle diventa nuovamente confine, separazione, divisione. E io torno a essere me stesso, il mio nome, la mia età. In quel momento inizio a pensare a me e alla mia vita. Al mio tempo, all'uomo che sono diventato, che in fondo non è altro che la conseguenza del bambino che ero. Sono, come tutti, la somma di un numero infinito di persone, quelle che sono stato nel corso della mia vita. Mi sento come l'uomo dipinto da Friedrich nel *Viandante sul mare di nebbia*. Il quadro preferito di Nicola. È stato lui a farmelo conoscere.

Ecco, il giorno in cui mi sono ritrovato sconvolto sul divano di Giulia, dopo aver ricevuto la notizia che mi aveva dato mia madre, stavo provando qualcosa di simile.

Mio padre forse stava per morire. Bevevo il vino senza sentirne il sapore.

«Mio padre oggi a pranzo ha detto a mia madre che gli farebbe piacere se lo accompagnassi io domani a ritirare gli esami.»

«Ci andrai?»

«Certo. Ha detto che vorrebbe che andassi io con lui... non mi sembra vero.»

«Ormai tuo padre ti stupisce ogni giorno.»

«Pazzesco... spero veramente che non sia una cosa grave. Non voglio perderlo adesso. Non sono pronto. Non lo sarò mai, lo so, ma adesso no... Dio, ti prego. Proprio adesso che stiamo cominciando ad avvicinarci, abbiamo trovato a poco a poco un modo per comunicare, stiamo imparando a conoscerci. Non adesso... ti prego, Dio, non adesso.»

«Non ti dico di stare tranquillo o di non pensarci, perché sono frasi che rendono ancora più nervosi e preoccupati, però posso tentare di distrarti...»

«Fammi uno spogliarello.»

«Se ti facesse stare meglio lo farei anche.»

«Aspetta che chiamo Nicola per avvisarlo che domani non vado al lavoro.»

Gli ho telefonato e gli ho dato la notizia. Dopo mezz'ora Nicola ha suonato al citofono di Giulia. Insieme mi hanno fatto compagnia fino alle due di notte.

Giulia doveva uscire con uno, ma l'ha chiamato dicendo che aveva avuto un contrattempo.

«Ma sei matta? Vai, non serve a niente che rimani. Me ne vado di là da me con Nicola... se devi andare non farti problemi.»

«Per l'appuntamento che era non ho perso molto. Era solo l'ennesimo tentativo, ma ho già capito che non va nemmeno questo. Lo sai come sono fatta, ogni tanto ci provo a uscire con qualche uomo, do fiducia alle persone anche se sono un po' disillusa, ma spero sempre di sbagliarmi. Poi però a cena, quando ce li ho di fronte, più parlano e più li riconosco. Il problema è che dicono tutti le stesse cose. Con certi uomini anticipi le parole, i ragionamenti, le azioni. Solo quelli che si mascherano meglio all'inizio ti fregano, ma poi pian piano saltano fuori per quello che sono. L'ultimo con cui sono uscita dopo qualche settimana mi ha detto: "Non posso stare con una donna che sa più cose di me. Sei troppo intelligente. Mi sento sminuito come uomo". Praticamente dovrei essere più scema.»

Lei è come me, non trova nessuno che le piace veramente. Solo che, a differenza di me, ancora ci prova e con qualcuno ogni tanto esce.

«Ma il tipo di questa sera è una new entry o è il motivo dell'ultima *walk of shame*?»

La *walk of shame*, cioè la camminata della vergogna, è quando una ragazza dopo una serata finisce a casa di uno, ci va a letto e dorme lì. Il mattino dopo, prima di andare al lavoro, deve passare da casa per cambiarsi e si ritrova a camminare con tacchi alti e abito da sera tra gente vestita da ufficio. Magari prende un tram o entra in un bar per un caffè e si capisce subito che viene da una lunga notte. Gli americani la chiamano *walk of shame* perché, anche se non è vero, ti senti addosso gli sguardi degli altri, come a dire: "Abbiamo capito che hai scopato tutta la notte, che hai fatto tardi e sei rimasta da lui".

«No, questo è uno nuovo. Con lui ho preso solo un caffè, ma mi sa che è stato sufficiente per eliminarlo.»

«Ma tu nella borsa hai lo spazzolino da denti? Per le notti improvvisate?» ha chiesto Nicola.

«Se esco con uno e penso ci sia la possibilità di finire a casa sua, lo porto.»

«Lo spazzolino per le donne è il corrispettivo del preservativo per gli uomini. Uno se lo porta quando pensa che ci sia la possibilità di scopare, le donne per l'eventualità di fermarsi a dormire.»

«Tendenzialmente lo spazzolino ce l'ho sempre, anche se non penso di dormire da lui.»

«Anch'io il preservativo ce l'ho sempre. Tra l'altro ho scoperto perché le confezioni di preservativi sono così difficili da aprire.»

«Perché?»

«Pare serva a dare alle donne l'ultima possibilità di cambiare idea mentre l'uomo compie quella lunga e faticosa operazione.»

«Non fa ridere, Nicola» ha detto Giulia.

Mi hanno fatto compagnia cercando di distrarmi. Nicola ha dato il meglio di sé. Poi ognuno è tornato a casa. Tranne Giulia, che già c'era.

Io ho passato tutta la notte sveglio. Una di quelle notti che vorresti chiamare qualcuno, ma tutti dormono. Quelle notti in cui pensi: "Cazzo, perché non ho un amico in Giappone?".

C'era un'altra cosa, però, che mi turbava quella notte: la sensazione che in realtà la notizia del matrimonio di lei mi agitasse e mi sconvolgesse più della malattia di mio padre. E me ne vergognavo.

Volevo chiamarla e ho pensato che quella notte, dopo la notizia di mio padre, sarebbe stato meno grave farlo e anche meno difficile. Avrei potuto giocarmi subito il fatto che mio padre forse stava per morire e lei non mi avrebbe risposto male. Ho pensato anche a quello. Sono un uomo misero.

L'ho chiamata. Aveva il cellulare spento.

Non stavo bene, non riuscivo a tranquillizzarmi. Immaginavo che anche mio padre fosse sveglio come me. Avrei voluto chiamare anche lui. Volevo che arrivasse presto il mattino. Sentivo tutto il peso del vivere, mi sentivo solo.

Prima dell'alba ho fatto una doccia, mi sono vestito e sono andato a prendere la macchina. Ho fatto un giro per Milano, ho imboccato la tangenziale e poi l'autostrada. Alle cinque e mezzo stavo gironzolando in macchina sotto casa dei miei. Ho parcheggiato in centro e ho fatto un passeggiata.

Ho trovato un bar aperto e sono entrato. Il barista aveva la faccia assonnata. Ho ordinato un cappuccio, un cornetto e un succo alla pesca. Ho comprato un pacchetto di sigarette, anche se non fumavo da quasi dieci anni. Ho fatto colazione al bancone, poi mi sono seduto fuori dal bar a fumare. Non so perché, a quella sigaretta mi ci sono aggrappato. Mio padre, ex fumatore, aveva un problema ai polmoni e io, preoccupato per lui, mi stavo fumando una sigaretta... Dopo il terzo tiro mi sono sentito uno stupido e l'ho buttata. Il sapore mi disgustava. Sono rientrato nel bar e ho ordinato un altro caffè per togliermi quel sapore dalla bocca. Poi ho preso la macchina e sono tornato sotto casa dei miei.

La luce del giorno iniziava a farsi vedere. Il cielo era spettacolare. Le ombre create dai lampioni iniziavano a ritirarsi per lasciare spazio alle cose, alle forme, ai contorni chiari. Per qualche minuto, da una parte il cielo era ancora buio e si vedevano le stelle, dall'altra spuntava un risveglio azzurro. Mi sentivo coinvolto emotivamente da quello sbadiglio del mattino.

Alzarmi presto è sempre stato difficile per me, ma quando ci riesco la luce, il silenzio, l'aria mi incantano. C'è una pace che mi conquista. Vedere sorgere il sole mi emoziona sempre. Raramente, però, succede perché mi sveglio presto, quasi sempre capita perché sto andando a dormire tardi. La maggior parte delle volte l'alba per me significa la fine di una notte in giro. Magari mi fermo con gli amici a fare colazione e vado a dormire con il sapore del cappuccino e del cornetto in bocca.

Quella mattina, però, un'altra luce mi ha commosso: quella della cucina dei miei. Nel silenzio quella luce mi ha scaldato il cuore. Ho immaginato mia madre in vestaglia che preparava il caffè a mio padre, in bagno a farsi la barba.

Sono entrato in casa, si sentiva il profumo del caffè. Mia madre in effetti era in cucina e mio padre in bagno che si preparava.

«Lo vuoi tu questo caffè? Tuo padre non esce più dal bagno questa mattina.»

«Sì, grazie.»

«Vuoi mangiare qualcosa?»

«No, ho preso un cornetto al bar.»

«Ecco il caffè... a che ora ti sei svegliato?»

«Non sono riuscito a dormire.»

Ha preparato nuovamente la moka, l'ha messa sul fornello e poi mi ha detto di controllarla mentre lei andava a preparare i vestiti a mio padre.

Mi sono seduto. A capotavola, sopra un tovagliolo, mia madre aveva messo delle pastiglie. Mentre bevevo il caffè e controllavo quello sul fornello, mio padre è entrato in cucina in mutande e canottiera. Lavato, sbarbato e pettinato.

«Cosa ci fai già qui?»

«Hai un po' di schiuma da barba sull'orecchio...»

Con la mano ha cercato di toglierla.

«Non quello, l'altro.»

«Ma a che ora ti sei alzato?»

«Verso le cinque» ho mentito.

«E sei già qui? Guarda che ti tolgono i punti se ti beccano con l'autovelox...»

«Ho bevuto il tuo caffè, ma sta salendo quello sul fornello.»

«Hai fatto bene. Vado a vestirmi.»

Quando mia madre è tornata in cucina, mi ha dato tutta una serie di fogli da consegnare al dottore. «Non so se servono, ma te li do ugualmente, non si sa mai.»

Ha dato tutto a me perché mio padre non è molto pratico di queste cose. Lei è più autonoma e, se fosse successo a lei, avrei dovuto solo accompagnarla, mentre mio padre va seguito in tutto. Se lei deve fare dei controlli o delle visite, ci va da sola; al massimo se piove si fa portare da mio padre, che però l'aspetta in macchina. Non sale con lei dal dottore.

Mio padre preferisce stare alla larga da ospedali, ambulatori e medici, e mandarlo a fare i controlli o le visite è sempre una fatica. Dice che lui sa meglio dei dottori come sta, e che a dar troppo retta a loro ci si ammala veramente.

Ho preso le carte e ho aspettato mio padre. Era presto. Mi sono seduto sul divano, mentre lui è sceso un attimo in cantina. «Cosa c'avrà sempre da fare là sotto?» ho chiesto a mia madre.

«Ha tutte le sue cose giù... le sposta, mette a posto, disfa e sistema. Sai com'è fatto, gli piace stare nella confusione.»

Sul divano ho rischiato di addormentarmi. Un sms di Giulia sul telefonino mi ha risvegliato dal torpore: *In bocca al lupo.*

Mia madre si è seduta sul divano, accanto a me. L'ho guardata e le ho chiesto: «Non hai paura?».

«Un po' sì, ma cerco di non pensarci finché non sappiamo l'esito.»

Aveva gli occhi lucidi quando mi ha detto quelle parole. Verso le otto siamo usciti. Io non parlavo molto. Loro sembravano più tranquilli. Quando siamo usciti mia madre ci ha perfino chiesto cosa volevamo per pranzo.

In macchina mio padre ha ironizzato: «Lo dico sempre di non andare a fare le analisi, hai visto che avevo ragione? Adesso da quando me lo hanno detto ho iniziato a sentire che non sto tanto bene. Ti condizionano... lo dico sempre io di stare lontano dai dottori».

Io avrei voluto ridere, ma non ci riuscivo. Ho fatto un finto sorriso, facendo uscire l'aria dal naso come un sospiro.

33

Lei (la cosa più bella del mondo)

Un sabato pomeriggio d'inverno, dopo pranzo ci siamo messi a letto. Ricordo le lenzuola color nocciola e i due abat-jour accesi. C'era silenzio. Fuori diluviava. Si sentiva solamente il rumore della pioggia sulle tapparelle abbassate. Abbiamo fatto l'amore e poi ci siamo addormentati.

Quando mi sono svegliato ho fatto il caffè e l'ho portato anche a lei. Prima di svegliarla l'ho guardata un po'. Mi piace sentire il suo respiro mentre dorme. Mi piace vedere le sue mani che spariscono sotto il cuscino. Sono quei momenti in cui ti chiedi come è possibile che sia lì tutta per te. Mi sono seduto sul bordo del letto e le ho spostato i capelli dal viso. Ha aperto gli occhi. Le ho dato un bacio sul-la fronte.

Si è tirata su, e la faccia era come non piace a lei, stropicciata. Su questo non siamo d'accordo. Per me invece è la cosa più bella da vedere. Mi fa sempre tenerezza, e non so se potrei amarla senza la faccia che ha appena sveglia.

Mi sono rinfilato a letto. Quando ha finito di bere

il caffè, è scivolata giù e siamo rimasti abbracciati un altro po', mentre lei mi accarezzava la testa.

Sono questi i piccoli ricordi che mi tengono continuamente legato a lei. Sono prigioniero di questa bellezza.

34
Seduto in punta di piedi

In ospedale la sala d'attesa era in realtà un corridoio. C'era molta gente che aspettava. Ci siamo seduti lontani da tutti. Senza nemmeno dircelo. In questo siamo uguali. Avevamo bisogno di silenzio, di isolarci da quel gruppo in cui siamo stati improvvisamente catapultati. Tutto era bianco, anche le sedie. Al muro fotografie di città italiane: la torre di Pisa, le gondole, il Colosseo.

A un certo punto da una porta è uscita un'infermiera che ha iniziato a elencare i cognomi delle persone in attesa, come un appello. Non ha mai alzato lo sguardo dal foglio, non ha guardato in faccia nessuno, ma non sembrava una persona maleducata; semplicemente dava l'impressione di avere molte cose da fare.

Quando è rientrata, tutti hanno ricominciato a parlare. Molti, come me, accompagnavano un genitore, altri la moglie, o il marito. Spesso in queste situazioni la famiglia mostra il suo vero volto.

Mio padre, indicando un uomo che stava arrivando, mi ha detto: «Quello è il dottore che aspettiamo».

Mi sono alzato, sono andato da lui e mi sono presentato.

«Ah, lei è il genio della pubblicità, complimenti.»

«Come fa a sapere che lavoro faccio?»

«Me lo ha detto suo padre. Durante la visita non ha fatto altro che parlarmi di lei, dicendo che aveva un figlio più o meno della mia età che è bravissimo e lavora nella pubblicità... Deve essere contento di avere un padre così orgoglioso di lei, il mio pensa che sono un buono a nulla. Possiamo darci del tu?»

«Certo. Io ho saputo solo ieri di questo problema perché non volevano farmi preoccupare... Vorrei solo sapere che cosa dobbiamo aspettarci.»

«Ti parlo francamente...» e mi ha ripetuto quello che mi aveva detto Giulia la sera prima. In un caso sarebbe stato sufficiente un piccolo intervento, nell'altro bisognava fare delle chemio, ma non c'era via di scampo. Era solo una questione di mesi.

«Appena mi portano i risultati degli esami, vi chiamo subito dentro» mi ha detto ed è andato via. Camminava veloce e il camice si alzava a ogni passo come il mantello di un supereroe.

Sono tornato a sedermi di fianco a mio padre, alla sua sinistra. Di fronte a noi c'era una finestra molto grande, aperta. Fuori si vedeva la cima di un albero che si muoveva sospinta dal vento. Io ho appoggiato la testa al muro e ho iniziato a guardare in alto con il desiderio profondo di vedere un angolo di cielo, un pezzo di blu in cui tuffarmi e perdermi. Il soffitto invece era un grosso foglio bianco che non mi lasciava passare. Mio padre, invece, era seduto con la schiena dritta. In silenzio. Guardava fuori dalla finestra.

Era vestito con i pantaloni ben stirati, la maglietta pulita e una giacca beige che non mette quasi mai. I vestiti li aveva preparati mia madre quella mattina, come faceva tutti i giorni, del resto. Le scarpe marroni erano nuove, comprate sempre da lei, al mercato, qualche giorno prima. Come si diceva una volta: era l'abito della festa. Quando i miei vanno da un dottore, da un avvocato, a casa di qualcuno, si vestono bene. È una loro abitudine. Una questione di educazione.

Ho chiuso gli occhi. Sentivo tutti i rumori dell'ospedale: gente che parlava a bassa voce, infermieri che ridevano, passi, carrelli, porte che si chiudevano. Poi li ho riaperti, ho scostato la testa dal muro, mi sono chinato in avanti e ho preso dalla tasca della giacca un pacchetto di caramelle. Le ho offerte a mio padre, che ne ha presa una. Ho rimesso via il pacchetto e ho aperto la mano verso di lui per farmi dare la carta. Ha fatto una pallina e me l'ha messa nel palmo, poi mi ha guardato e mi ha detto: «Grazie».

Tutti questi gesti, li abbiamo fatti con l'espressione tipica di chi sta pensando ad altro. Li ho osservati con l'avidità di chi ha paura che possano essere gli ultimi. Mentre nella testa mi rimbombava ancora il grazie di mio padre, mi sono alzato a buttare la carta delle caramelle e mi sono accorto subito che faticavo a gettare la sua. La rigiravo fra le dita, immobile di fronte al cestino. Temporeggiavo. Alla fine però l'ho buttata e sono tornato a sedermi.

Sentivo il rumore della caramella tra i suoi denti. Non mi sono appoggiato più con la testa al muro. Sono rimasto anch'io dritto a guardare fuori dalla finestra. Mio padre ha interrotto il silenzio dicendo che il cielo si stava mettendo male. Io ho risposto laconicamente: «Sì. Mi sa che pioverà».

Poi ancora silenzio. Un silenzio lungo, in punta di piedi, che mio padre ha interrotto nuovamente: «Pensa che quando è morto tuo nonno io ero lì, di fianco al letto».

Mi sono girato verso di lui. Ecco a cosa stava pensando in quel silenzio.

«È morto verso l'ora di pranzo e casualmente ero rimasto da solo nella stanza perché tua nonna era scesa con la zia e altre due persone a mangiare qualcosa. Era peggiorato molto nell'ultimo mese. Quando ha tirato l'ultimo respiro io lo stavo guardando. Ha iniziato a respirare in maniera strana, poi ne ha fatto uno lungo e rumoroso ed è morto.»

«Hai avuto paura?»

«No, paura no. Mi ha fatto impressione.» È stato un attimo in silenzio quasi stesse rivedendo dentro di sé le immagini di quel ricordo, poi ha aggiunto: «Però ho fatto una cosa strana. Non l'ho mai detta a nessuno, la sto dicendo a te adesso per la prima volta».

«Che cosa?»

«Mi sono alzato e invece di andare subito ad avvisare che era morto, ho chiuso la porta della stanza a chiave. Mi sono chiuso dentro con lui. Mi sono seduto di nuovo al suo fianco e l'ho fissato. Credo di essere rimasto lì a guardarlo per un sacco di tempo. Poi mi sono alzato, ho aperto la porta e sono sceso a dire che era morto. Non so perché mi sono chiuso dentro con lui.»

«Forse ti era sempre sfuggito e finalmente potevi stare un po' da solo con tuo padre... Hai pianto?»

«No, non riesco tanto a piangere. Praticamente non piangevo neanche da bambino.»

«Come, non piangevi neanche da bambino?»

«Ho pianto fino a cinque, sei anni, poi non ho pianto più. Infatti, quando tua nonna me le dava, continuava a picchiarmi perché non piangevo e questa cosa la faceva innervosire. Pensa, mi ricordo che una volta mi ha messo sdraiato a pancia in giù e con un piede mi è salita sulla schiena, dicendomi che dovevo piangere.»

«La nonna?»

«Sì. Perdeva la pazienza quando non mi vedeva piangere.»

«E tu non hai più pianto da quando avevi sei anni?»

«Proprio mai no, da grande ogni tanto è successo. Due o tre volte. Una delle ultime volte che ho pianto da bambino, mio padre mi ha preso in braccio e mi ha tenuto sospeso sulla stufa dicendomi che se non smettevo mi lasciava cadere. Mi ricordo ancora gli anelli roventi. Ho preso una paura che non me la dimenticherò mai. Mi diceva di smettere, ma io ho iniziato a piangere ancora di più, e più avevo paura e più piangevo. Per quasi un anno poi ho balbettato. Per riuscire a parlare dovevo dare un pugno forte sul tavolo o rompere qualcosa... mi davano anche dei sassolini da tenere in bocca.»

«Chissà che shock. Che la nonna ti picchiasse non me lo sarei mai immaginato.»

«La nonna e il nonno. Quando me le dava lei diceva che le botte della mamma facevano sempre bene, ma era quando si arrabbiava lui che c'era da scappare. A volte mi picchiava anche con la cintura dei pantaloni; me le dava di santa ragione e poi mi diceva: "E adesso fila in camera tua e non uscire finché non te lo dico io". Poi si dimenticava e mi lasciava lì tutto il giorno.»

«Non sapevo che il nonno fosse così cattivo.»

«Non era cattivo. A quei tempi funzionava così.»

«Cosa vuol dire che a quei tempi era così?»

«Era normale, lo facevano tutti. Ti insegnavano le cose a schiaffi, non è che c'erano tante alternative, non si facevano tante storie. Erano abituati così: con le bestie e con i figli era uguale. Se eri fortunato ti davano quattro schiaffoni, altrimenti si sfilavano la cintura dai pantaloni e ti facevano correre intorno al tavolo. Tuo nonno me le dava perché le aveva prese da suo padre, che le aveva prese dal suo.»

«Tu a me non mi hai mai picchiato, però...»

«Non sono mai stato capace, sono sempre stato diverso da tuo nonno. Meno forte.»

«Credi veramente che sia una questione di forza? Magari semplicemente non volevi assomigliare a lui.»

«Mah, non lo so. Comunque io non ci sono mai riuscito. Veramente una volta un paio di sberle sul sedere te le ho date, ma è dispiaciuto più a me dartele che altro.»

«Non mi ricordo. E cosa avevo fatto?»

«Avevi risposto male a tua madre... mi sembra.»

«Ma, a parte le botte, che ricordi hai del nonno?»

«Che era un uomo forte, lavorava sempre e non

aveva molto tempo per me. Però pensa che una volta mi ha costruito con le sue mani un furgoncino, con tanto di vetri veri ai finestrini e i fanalini che si accendevano con la batteria. Parlava poco con noi.»

«Cosa vuol dire che parlava poco con voi?»

«Fuori casa parlava sempre con tutti, era brillante, persino chiacchierone, mentre in casa era di poche parole. Con me non parlava praticamente mai. Se rimanevo solo con lui poteva stare ore senza rivolgermi una parola, come se non esistessi. Si rivolgeva a me solo quando lo facevo arrabbiare o per farmi la predica.»

«E cosa ti diceva?»

«Le solite cose, che ero fortunato perché non avevo dovuto fare la vita che aveva fatto lui, che era andato a lavorare da bambino, che io avevo sempre trovato tutto pronto e potevo fare la bella vita grazie ai suoi sacrifici. E che lui aveva iniziato a lavorare per un litro di latte al giorno come paga.

«Oppure mi diceva che dovevo svegliarmi e imparare le cose altrimenti sarei rimasto un buono a nulla. Mi diceva sempre che ero lento a fare tutto e non sarei arrivato da nessuna parte. Aveva ragione, perché la mia vita è andata proprio come aveva predetto lui.»

«Dipende dai punti di vista. Magari avresti avuto bisogno di un po' più di incoraggiamento.»

«Forse sì, ma comunque alla fine è andata proprio così, aveva ragione lui. Ho fallito in tutto e, se non c'eri tu a darmi una mano con i soldi, non so come saremmo finiti.»

«Ma, papà, per me la cosa più bella che puoi darmi

è chiedere... qualunque cosa, anche un aiuto. Come quello di accompagnarti qui oggi.»

«Pensa te. Allora ti ho dato molto, visto che è una vita che lo fai.»

Abbiamo sorriso.

«Tua madre è l'unico bel sogno della mia vita. L'unico che ho realizzato. Tua madre e te. Ma tu lo sei più per merito suo.»

«Non ripetermi che sono figlio suo e che tu hai solo collaborato, come dicevi sempre quando ero piccolo. Ci rimanevo male tutte le volte.»

«Ci rimanevi male? Ma io scherzavo. Era una battuta.»

«Una battuta del cavolo... ero troppo piccolo per capirlo.»

«Non mi sono mai accorto che ci rimanevi male. Non mi sono mai accorto di un sacco di cose.

«Tua madre è una gran donna. Sono stato veramente fortunato. Sai, con la vita che le ho fatto fare, avrebbe potuto lasciarmi e andarsene, invece è sempre stata al mio fianco. Ci siamo sposati che le cose andavano già male con il lavoro. Ci siamo sposati nel peggiore dei momenti. Poi è rimasta incinta. L'idea di non riuscire a darvi una sicurezza economica mi preoccupava. Tua madre, invece di arrabbiarsi, mi tranquillizzava dicendomi che le cose si sarebbero sistemate. Non si è mai lamentata. Anche i genitori di tua madre, i tuoi nonni, avrebbero potuto dirmi qualcosa. Invece erano persone discrete e capivano la situazione. Spesso ci hanno aiutato.

«Quando andavi in vacanza da loro e tua madre veniva a trovarti la domenica, io dicevo sempre che dovevo lavorare. In parte era così, ma il vero motivo era che mi sentivo a disagio con loro, anche se non mi dicevano mai niente. Era brava gente.

«Mio padre mi chiedeva come andavano le cose, visto che tra l'altro mi aveva prestato lui i soldi per iniziare, e io mentivo sempre dicendo che andava tutto bene. Avrei dovuto chiedergli un aiuto subito prima che fosse troppo tardi, ma non ci sono riuscito. E, pur di non ammettere a me stesso che stavo fallendo, facevo finta di niente, ma più andavamo avanti più le cose peggioravano. E quando alla fine sono stato costretto a parlargliene non sai quanto mi è costato. Urlava che avevo sprecato i suoi soldi, che ero un incapace, che dovevo trovarmi un lavoro da dipendente: "Te l'avevo detto che sarebbero stati soldi buttati via"... Adesso chiama tua madre e dille che stiamo aspettando e dobbiamo ancora entrare.»

«Va bene.»

Mentre ero al telefono, mio padre ha allungato la mano per prenderlo.

«Aspetta che il papà vuole parlarti.»

«Pronto... no, non sappiamo niente, non siamo ancora entrati. Appena usciamo ti chiamiamo... ciao.»

Praticamente ha ripetuto le mie parole e non ha aggiunto nulla. Era dispiaciuto che mia madre fosse preoccupata. Dopo avermi ridato il telefono è tornato silenzioso. Passavano i minuti, sembravano giorni. Io ho iniziato a pensare a mio padre: a lui che sarebbe potuto morire, poi a lui a terra con mia nonna che gli metteva un piede sulla schiena, a lui che era rimasto in silenzio al fianco di mio nonno.

Poi il mio pensiero è scivolato a lei, la donna che

mi ha lasciato, che se n'è andata e che tra poco si sposa. Perfino davanti a un problema così importante come quello di mio padre, lei continuava a occupare in maniera prepotente i miei pensieri. Avrei voluto fosse a casa ad aspettarmi dopo una giornata così.

Sono tornato a osservare ogni piccolo dettaglio. Improvvisamente mi sono reso conto che il silenzio che stavamo vivendo era pieno di richiami, pieno di un desiderio di appartenenza. Proprio in quel momento mio padre ha messo la mano sinistra sulla mia spalla, come se volesse appoggiarsi per alzarsi. Ma non si è alzato. L'ha lasciata lì, senza dire niente. Sentivo il suo calore. Sentivo anche che se mi fossi voltato a guardarlo, sarei scoppiato a piangere. E non dovevo, non in quel momento. Dovevo essere forte, ero lì per stargli vicino, per sostenerlo, e dovevo essere all'altezza. Ma sentivo come se i miei occhi fossero una diga che tratteneva un mare di lacrime. E quella diga in quel momento era fragile, aveva piccole crepe. Mi sono concentrato restando immobile per bloccare la sensazione che sentivo crescere dentro di me.

Volevo voltarmi per guardarlo. Avrei voluto abbracciarlo, ma non potevo e non ci riuscivo. Non ci sono mai riuscito. A un tratto, però, non so dove ho preso la forza, ma sono riuscito a fare qualcosa: ho posato la mano destra sulla sua gamba. Non ci siamo guardati e non abbiamo detto nulla. Ero sempre più fragile e sentivo che stavo per crollare, stavo per dare sfogo a un lungo pianto liberatorio. Anche se non volevo.

Mio padre ha tolto la mano dalla spalla e ha afferrato la mia mano. Non toccavo le mani di mio padre da quando ero bambino.

Non ce la facevo più, stavo per mollare tutto e crollare, quando inaspettatamente ho iniziato a sentire dentro di me una sensazione strana. Come se alla mia fragilità subentrasse una forza. Non mi veniva più da piangere. Fino a quel momento avevo accompagnato mio padre sentendomi un genitore. Dall'istante in cui mi aveva preso la mano, avevo iniziato a sentirmi figlio. Avevo avuto bisogno di lui e mio padre mi era venuto in soccorso, aveva capito ed era venuto da me. Stavo bene lì, in silenzio, con la mia mano nella sua. Non sono mai stato così in intimità con lui. Qualche tempo prima avrei provato imbarazzo per un gesto del genere. Ma in quel momento no.

Ogni tanto muoveva il pollice sul dorso della mia mano come a ricordare la sua presenza e a voler rinnovare quella presa.

Quando ha tolto la mano, ho sentito la necessità di allontanarmi un attimo.

«Vado in bagno e poi faccio una telefonata. Se arriva il dottore chiamami. O magari preferisci entrare da solo? In tal caso ti aspetto qui fuori, se non ti trovo.»

«No, ti chiamo: voglio che vieni dentro con me.»

Sono andato in bagno e mi sono guardato allo specchio. Mi sono sciacquato la faccia e sono uscito. Da lontano vedevo mio padre seduto. I piedi sotto la sedia erano appoggiati a terra solo con le punte. Si teneva le mani unite, tra le ginocchia, con le dita intrecciate. Mentre guardavo quell'uomo piegato su se stesso, di fronte alla sua vita, di fronte a quella giornata che sembrava non passare mai, ho iniziato a piangere. Il pianto di prima era tornato a sconvolgermi. Mi sono affacciato a una finestra e ho cercato velocemente di asciugarmi le lacrime.

Sono rimasto alla finestra cercando di pensare ad altro. Dovevo aspettare che i miei occhi non rivelassero cos'era successo.

In quel momento ho deciso di chiamare lei. La donna che amo. Ho composto il numero con la funzione "anonimo". Ho guardato mio padre, poi il display del telefono con il numero scritto, poi ancora mio padre. Alla fine, tenendo lo sguardo fisso su di lui, ho schiacciato "invio".

Dopo due squilli non ho sentito più il mio cuore battere, ma la sua voce: «Chi è?».

Proprio in quell'attimo di emozione profonda, mio padre si è alzato in piedi e mi ha fatto cenno di andare da lui perché era il nostro turno.

«Chi è?»

Ho chiuso il telefono senza dire niente e, prima di infilarlo in tasca, l'ho pulito sulla giacca.

35

Lei (nascosta tra i biscotti)

La sera stessa, dopo essere uscito dallo studio e aver saputo cosa aveva mio padre, sono andato sotto casa di lei. Avevo bisogno di vederla, di parlarle, di convincerla a non sposarsi con quel cazzo di ingegnere e a tornare da me. Dopo la telefonata della mattina non ero più riuscito a sentirla. Aveva spento il telefono per non farsi infastidire da me. Sono rimasto sotto casa sua fino alle tre di notte. L'ho fatto per tre sere di fila. Aveva cambiato lavoro da poco e non sapevo dove fosse il suo nuovo ufficio. A casa, quelle tre sere, non è mai tornata. Probabilmente dormiva già da lui. Oltre a stare sotto casa sua per tre notti, ci passavo anche andando in ufficio e uscendo la sera. Veramente ogni volta che dovevo andare da qualche parte passavo sempre di lì, anche se non era di strada. Suonavo al citofono, ma senza ottenere risposta. Sono andato avanti così per più di una settimana.

Per reagire alla tristezza che stavo vivendo in quei giorni, un pomeriggio sono andato nella gelateria che ha la crema più buona del mondo. Ho preso una vaschetta di crema, stracciatella e nocciola. Mentre stavo per uscire, ho visto che dall'altra parte della strada c'era un supermercato.

«Potete tenermi il gelato mentre faccio la spesa? Torno tra dieci minuti...»

«Non c'è problema.»

«Grazie.»

Non avevo molte cose da comprare. Cestello, biglietto dal bancone degli affettati: numero trentatré.

«Serviamo il numero ventotto.»

Bene.

Ho iniziato il mio solito su e giù per le corsie. A un certo punto mi si è fermato il cuore: tra i miei biscotti preferiti e le fette biscottate c'era una donna con la coda alta, che indossava un vestito blu, un sandalo con il tacco e un filo di perle al collo. Era bellissima. Mi sono bloccato, non avrei mai pensato di incontrarla proprio in quel luogo. Lei, la donna che mi ha lasciato, che se n'è andata, che sta per sposarsi, la lei che amavo.

Camminava davanti a me e ha girato a sinistra. Io sono tornato indietro per cambiare corsia e andarle incontro fingendo di non averla vista. A metà corsia mi ha visto.

«Lorenzo» mi ha detto con un'espressione di stupore.

«Oh, ciao» le ho risposto, cercando di accentuare la mia per farla sembrare vera. E ho aggiunto: «Che ci fai qui?».

Certo, nella corsia di un supermercato, con il cestello in mano, non deve essere sembrata una domanda molto intelligente.

«La spesa.»

«Anch'io.»

«Beh, lo immaginavo... Come stai?»

«Insomma... bene... e tu?»

«Bene, grazie.»

«Pazzesco, è la prima volta che vengo qui a fare la spesa... mi ero fermato nella nostra gelateria.»

Quando dico quella frase il suono della parola *nostra* suona in maniera diversa rispetto alle altre.

«Ti ho chiamata in questi giorni.»

«Lo so... ti ho anche risposto un po' di tempo fa per dirti di non chiamarmi più.»

«Ma perché sei arrabbiata con me?»

«Non sono arrabbiata.»

«Allora perché mi eviti?»

«Evito le tue telefonate non perché sono arrabbiata, semplicemente non mi va... non credo tu voglia chiedermi come sto.»

«Anche quello... ma lo faccio soprattutto perché devo dirti delle cose.»

«Infatti, è proprio questo il motivo per cui non rispondo.»

«Non capisco... comunque sono sempre io, perché mi tratti così? Non sono un estraneo...»

«Appunto.»

«Ho solo bisogno che ci parliamo un secondo.»

«Io quello che dovevo dirti te l'ho già detto due anni fa. Non sono arrabbiata e non voglio sembrarti dura o vendicativa. Non è una ripicca, semplicemente adesso non sono più interessata alle cose che vuoi dirmi. È acqua passata per me.»

«Ma sono cose importanti, credimi... cose su di noi.»

«Sono importanti per te, Lorenzo... e poi non c'è più un *noi*.»

«Lasciamele dire almeno una volta.»

«Davvero, credimi... non voglio che pensi che io sia arrabbiata o altro, semplicemente per me è un capitolo chiuso. Se stai male mi dispiace, e se potessi te lo eviterei. Anche per questo non ti rispondo, perché anche se è passato del tempo, anche se non c'è più niente tra noi, mi spiace se sento che stai male...»

«Mi manchi... voglio che torni da me. Veramente.»

Mi ha guardato negli occhi un secondo in più di quanto lo avesse fatto fino a quel momento. Le sue labbra si sono contratte in una smorfia, che forse voleva essere solo un mezzo sorriso.

«Come stanno i tuoi?»

«Non cambiare discorso...»

Qualche secondo di silenzio. Sempre guardandomi negli occhi.

«Sei pazzesco.»

«Cosa?»

«Fai sempre così. Ogni volta che cerco di costruire qualcosa tu torni e distruggi tutto quello che faticosamente ero riuscita a mettere insieme. Ogni volta mi fai a pezzi, e ogni volta che con molta fatica mi rialzo tu ritorni.»

«Ma questa volta è diverso.»

Mi ha guardato e non mi ha detto niente. Sapevo a cosa stava pensando. Lo pensavo anch'io. Le mie erano parole che avevo già ripetuto troppe volte. Ha sorriso con tenerezza. Non era rancorosa o risentita mentre mi parlava. Era tranquilla. E lì, in quel momento, ho provato per la prima volta la sensazione di averla persa per sempre. Avrei voluto insistere, ma quell'espressione parlava chiaro.

«Mi dispiace se stai male... so cosa vuol dire ma, te lo ripeto, non sono arrabbiata con te. Sul serio.»

La tristezza deve essere apparsa evidente sul mio viso, perché lei sembrava dispiaciuta per me. Forse per questo ha aggiunto: «Se ti va possiamo andare a prenderci un caffè quando hai finito di fare la spesa».

Ho fatto cenno di sì con la testa e siamo usciti dal supermercato. Io non riuscivo più a dire nulla. Anche la sua tranquillità mi turbava. A parte la sorpresa iniziale, lei aveva gestito il nostro incontro tranquillamente, senza sbavature, senza imperfezioni. Non aveva detto una sola parola sbagliata, la voce non le tremava, non sembrava coinvolta emotivamente. Almeno, non più di tanto. Dava veramente l'idea che fosse riuscita a buttarsi alle spalle la nostra storia, a chiuderla per sempre.

Tutte le mie convinzioni a proposito del fatto che lei appartenesse a me e io a lei erano solo nella mia testa. In quel momento me ne sono reso conto. È stato tutto chiaro.

«Devo ritirare il gelato... Te la ricordi la crema che fanno?»

«Sì, ci vengo spesso. Abito da queste parti adesso.»

«Non abiti più nell'altra casa?»

«È sempre casa mia, ma da un po' sto qui. Immagino tu sappia che mi sto per sposare.»

«Sì, lo so.»

«Viviamo qui, questa è casa di Fabrizio, la mia la sto per lasciare.»

Che fitta sentire quel nome. Non aveva semplicemente detto *lui*. Perché dargli tutta questa importanza? Ho evitato di dirle che ero persino andato sotto il suo ufficio per vedere come *lui* era fatto... e anche, inutilmente, sotto casa di lei ad aspettarla.

Ero a pezzi. Fingevo una tranquillità che non provavo, stavo male, non riuscivo più a dire nulla su di noi. Non so dove ho preso il coraggio, ma mi è uscito un: «Ti va se invece del caffè prendiamo il gelato e andiamo da me a mangiarlo?».

Non ha detto subito di no. Ha aspettato qualche secondo. «Meglio un caffè... devo tornare a casa.»

«Che cosa hai da fare?»

«Niente in particolare...»

«Dài, vieni, così vedi anche la casa. Ho cambiato un sacco di cose. Ci mangiamo il gelato, ti faccio un caffè e poi te ne vai... e ti prometto che non ti chiamo più, ti lascio stare.»

Mi ha guardato negli occhi. «Questo me lo devi promettere anche se non vengo. Se veramente mi vuoi bene, mi devi lasciare stare.»

Non ho detto nulla. Aspettavo la risposta alla mia domanda. Sapevo che non avrebbe mai accettato, ma ormai la sentivo così lontana che non avevo più niente da perdere.

«Va bene... vengo.»

Un secondo dopo sul sedile posteriore della macchina c'erano i miei e i suoi sacchetti della spesa. Destinati ormai a due case diverse. Guidare con lei seduta al mio fianco mi faceva venire voglia di guidare fino alla fine del mondo. Con la coda dell'occhio vedevo le sue gambe e i suoi piedi. In mano teneva la vaschetta del gelato. Avevo paura che mi dicesse di fermarmi perché aveva cambiato idea. Invece era tranquilla. Non lo ha fatto.

«Come sta Nicola?»

«Bene, ora convive con una ragazza.»

«Nicola convive?»

«Eh, sì...»

Salire le scale con lei era passeggiare nei ricordi. Mi è venuto in mente quando siamo saliti a casa mia la prima volta, dopo quella cena. La prima volta che abbiamo fatto l'amore.

In quel momento era tutto diverso. Non tanto per me, quanto per lei. Per me non era cambiato niente. Io la desideravo anche in quel momento, avrei fatto la stessa cosa della prima volta: l'avrei presa con forza, l'avrei baciata spingendola contro il muro.

Ma ormai il muro era tra noi.

36

I silenzi interrotti

Io e mio padre eravamo seduti di fronte al medico.

«Eccolo qui, finalmente conosco suo figlio... quale onore.» Poi, rivolgendo lo sguardo a me e dimenticandosi che poco prima mi aveva chiesto di darci del tu, ha aggiunto: «Se c'è una particina in qualche pubblicità me lo dica che io vengo... costerei anche poco».

«Dipende dalla notizia che ci darà» ho ironizzato anch'io.

Ha preso il fascicolo in mano e ha iniziato a leggere. «Vediamo un po' di cosa si tratta.»

Siamo rimasti in silenzio. Tutti, anche il medico. Osservavo le mani con cui teneva il foglio. Erano abbronzate, e il camice bianco accentuava il colore. Di fronte alla notizia che stavamo aspettando e a quello che stavamo vivendo, la sua abbronzatura aveva un sapore di ingiustizia. Ho cercato di interpretare ogni piccola piega del suo viso. Lo fissavo e non riuscivo a capire se la sua espressione fosse un sorriso o una smorfia di dispiacere.

Mentre aspettavamo le parole del medico, mio

padre ha rotto il silenzio. «Dottore, vorrei che fosse molto sincero, voglio sapere la verità, senza mezze parole.»

«Non si preoccupi, le dirò tutto in modo chiaro e diretto.»

«Grazie.»

Dopo qualche secondo di silenzio, che a noi è parso un'eternità, il medico ha sospirato e ha detto: «Quello che abbiamo trovato è maligno».

Il mondo si è fermato. Ho pensato solo che mio padre stava per morire. E in quel momento un po' anch'io.

Il medico non sembrava dispiaciuto. Nelle sue parole non c'era nessun trasporto emotivo.

In maniera istintiva ho messo ancora una volta la mano sulla gamba di mio padre, ma di nuovo non ho avuto il coraggio di girarmi a guardarlo.

Lo stavo perdendo. Questa volta per sempre.

Si dice che quando stai per morire tutta la vita ti passa davanti. In quel caso, anche se era lui che stava morendo, mi stavano passando nella mente una serie di immagini: io bambino con lui, io adulto con lui, mia madre...

«Fortunatamente però...» ha continuato il dottore «non ci sono metastasi.»

«Che significa?»

«Significa che lei è veramente fortunato, la tempestività con cui è stato sottoposto a questi controlli, anche se in modo del tutto casuale, le permetterà di affrontare la malattia senza preoccupazioni. Se solo avesse aspettato qualche mese a fare questi esami, allora la situazione sarebbe stata molto diversa e forse non ci sarebbero state speranze. Dalla biopsia abbiamo potuto riscontrare che si tratta, come le ho detto, di un adenocarcinoma, ma che non ci sono metastasi.»

«Quindi?» ho domandato. Volevo risposte più chiare e precise.

«Deve essere operato. Non le faccio leggere questo referto perché, a causa della terminologia tecnica con cui è scritto, non credo capirebbe. Le dico solo che deve essere operato.»

«Ma non è in pericolo di vita, vero?» ho chiesto, sempre più bramoso di una rassicurazione esplicita, senza terminologia tecnica.

«No, non è in pericolo di vita.»

Ho guardato mio padre e gli ho dato una pacca sulla spalla, come si fa con un vecchio amico. Ero felicissimo. In un attimo ero passato dall'inferno al paradiso.

«Grazie, dottore.» Come se fosse merito suo, come se lui fosse responsabile, come se lui fosse Dio.

A quel punto mio padre ha fatto una serie di domande: «Quando devo essere operato? Mi dovete togliere un polmone? È un'operazione pericolosa? È sicuro che sono fuori pericolo? Dovrò fare la chemioterapia o la radioterapia? Dovrò essere attaccato all'ossigeno e vivere tutta la vita con quello?».

Il medico lo ha interrotto. «Mi faccia rispondere, una domanda alla volta. Le ripeto, si tratta di un adenocarcinoma senza metastasi. La operiamo, ma non sarà necessario togliere tutto il polmone, solo una piccola parte; non è pericoloso, non dovrà fare nessuna chemioterapia, e niente radioterapia. Niente ossigeno. Solo un po' di riposo e tutto si sistemerà. Se fosse venuto da noi fra qualche mese, la storia sarebbe stata diversa... così invece non corre alcun pericolo.»

Mi sono appoggiato allo schienale della sedia e ho tirato un sospiro di sollievo, cercando di non farmi notare. Ci siamo dati una stretta di mano prima di uscire. Con la segretaria del dottore ho preso accordi per gli appuntamenti successivi. Mentre stavo uscendo, ho guardato le persone sedute in corridoio e ho desiderato che quegli sconosciuti potessero ricevere la stessa notizia che avevano appena dato a noi.

Io e mio padre siamo andati al bar a bere un caffè. Lui ha preso anche un cornetto. Mentre lo mangiava, mi ha detto: «Chiama tua madre».

Le ho telefonato e le ho detto che papà era fuori pericolo, che dovevano operarlo, ma non era grave.

«Vuoi parlarle?» ho chiesto a mio padre. Ha fatto cenno di no con la testa, mentre cercava di non sporcarsi con la marmellata.

Siamo rimasti seduti come se dovessimo riposare dopo una grande fatica. Ho guardato mio padre e mi sono accorto che non era più quello di prima. L'uomo che stavo guardando era un padre nuovo che mi era appena stato donato. Proprio mentre temevo di perderlo l'ho trovato, era lì con me. Lui e tutto il tempo ritrovato che portava con sé. Un tempo di cui ho avuto per la prima volta piena coscienza e che mi è apparso in tutta la sua preziosità. Un tempo che valeva doppio perché pensavo di non avere più, di averlo perso per sempre. Un tempo che ho pensato sarebbe stato insieme breve e smisurato.

Ho desiderato in quell'istante di non farmi più tra-scinare nella vita. E ho capito che anche con lei non potevo più sprecare altro tempo. Sono passati due anni: un'eternità. In due anni ho perso un'infinità di emozioni che non torneranno più. Con mio padre e con lei ho buttato tante occasioni. Ecco il tempo che vorrei.

«Ti rendi conto che è stata una questione di tempo, papà? Tu che non vuoi mai fare i controlli...»

«Hai ragione.»

Siamo tornati a casa. Mia madre era felicissima e mi ha abbracciato subito.

«È lui quello che devi abbracciare...»

«Lo so, lo so... ma fatti abbracciare anche tu.»

Ho pranzato con loro. Il pranzo più saporito di tutta la mia vita. Ho spiegato a mia madre quello che doveva fare, gli appuntamenti e tutto il resto: «Comunque vengo anch'io quando sarà il momento di andare in ospedale per l'operazione».

Ormai volevo stargli vicino il più possibile. Dopo il caffè, però, ho sentito il desiderio di andarmene. Avevo bisogno di stare solo. Li ho salutati. Mia madre si è messa a lavare i piatti, io e mio padre siamo usciti insieme: lui è sceso in cantina, io sono salito in macchina.

Avevo già chiamato Nicola e Giulia per avvisarli della bella notizia. Ho guidato in silenzio, tenendo quasi sempre il finestrino abbassato. Volevo vedere il cielo, che prima non vedevo, e desideravo respirare un po' di aria fresca.

37
Noi

Lei, la donna che mi ha lasciato, che se n'è andata e che sta per sposarsi, sta girando per casa mia e io la guardo, osservo il suo modo di camminare, che conosco bene; osservo le sue mani che si poggiano sugli stipiti delle porte mentre si ferma un istante prima di entrare nelle stanze.

«Vuoi un bicchiere d'acqua?»

«Sì, grazie.»

Vado in cucina e mi accorgo di essere emozionato. Mentre verso l'acqua suona il suo cellulare. Ho paura che qualcuno o qualcosa possa interrompere questo nostro momento. Lei lo guarda, ma non risponde. Mette la funzione "silenzioso": il telefono continua a suonare, ma non si sente più. Lampeggia e basta.

Mi scappa dalla bocca un: «È lui?».

«Sì.»

«Vuoi rispondere? Vado di là se ti do fastidio.»

«Lo richiamo dopo.»

Come mi irrita che quel cazzo di ingegnere la stia chiamando. Come mi fa incazzare che sia lui, ora, il suo uomo. Non so se in questo momento lui è infastidito dal fatto che lei non abbia risposto. A me la sua telefonata ha urtato molto.

«È geloso?»

Non mi risponde. Mi dice invece che sono diventato bravo a tenere le piante.

«È mio padre che mi sta aiutando.»

«Tuo padre?»

«Sì, è venuto apposta una volta a sistemarle e me le ha salvate. Ogni tanto torna a dare un'occhiata.»

La guardo mentre beve. Mi sembra ancora più bella.

«Ti trovo bene, sei bellissima... come sempre.»

Si siede sul divano. Senza dirmi nulla.

«La TV non ce l'hai più?»

«Ho il proiettore. Praticamente il muro è la mia TV.»

«Ah... quindi è grande?»

«Più o meno come tutta la parete.»

Abbasso la tapparella.

«Che fai?»

«Se non c'è buio non si vede bene.»

«No, no... non fa niente.»

«Era solo per farti vedere.»

«Non importa, ho capito...»

Sale il silenzio fra di noi, un silenzio che ci separa.

«Ho delle cose tue che hai dimenticato...»

«Che cosa?»

«Un libro, un paio di mutande...»

«Puoi tenere tutto.»

Le preparo una coppa di gelato. «Tieni, questo è tuo. Crema e stracciatella, i tuoi gusti preferiti.» Mi siedo sul divano, di fianco a lei.

Dopo qualche istante si alza e va verso la libreria. «Mi sembra che i libri siano il doppio.»

«Il doppio no, però molti di più sì. Devo comprare una mensola nuova perché non mi piace sdraiarli sopra gli altri.»

Mi avvicino, sono dietro di lei. Sento il suo profumo. Allungo un braccio per prendere un libro; le sto praticamente addosso, tanto che lei si sposta. Sto camminando su un terreno fragile. Ho paura di sbagliare una parola, una mossa, un piccolo gesto. Temo che la mia faccia mi tradisca, che mostri le mie paure, i miei desideri. Decido di mettere della musica, anzi, no, meglio di no: potrebbe pensare che sia un tentativo di creare un'atmosfera. Non capisco se è veramente tranquilla o se sta fingendo. Se sta fingendo è bravissima, perché non sbaglia nulla. E soprattutto sembra a suo agio.

«Mi piacciono i mobili nuovi che hai messo. Stanno bene... mi è sempre piaciuta questa casa.»

«Perché non torni, allora? Questa casa parla ancora di te, la mia vita parla ancora di te, io parlo ancora di te. Guardati attorno: tu sei qui, sei tra questi mobili, tra questi piatti, tra queste lenzuola. Molte di queste cose le hai comprate tu. Torna... sei già qui, sei sempre stata qui, manca solo il tuo sì per ricongiungere tutto.»

Sorride, mangia un cucchiaio di gelato e non mi risponde nemmeno. Vado a prendere un piatto in cucina.

«Lo vedi questo? Lo uso tutte le volte che mangio. Guarda come mi sono ridotto, a usare un piatto rovinato solo perché lo hai scheggiato tu... te lo ricordi?»

«Sì, mi ricordo.»

«Non desidero un piatto nuovo, preferisco il tuo, anche se è scheggiato. E quando lo lavo mi piace sentire con il dito la parte ruvida; mi illudo che, come la lampada di Aladino, se lo sfrego tu tornerai. Non lo cambierei con nessun piatto al mondo. Torna e salvami da queste cose patetiche che faccio per starti vicino. Mi faccio compassione. Aiutami, liberami da questa pena» le dico sorridendo. Lei ride. Stiamo ridendo insieme. Quando lei rideva il mondo si fermava. Sempre. Ed è ancora così.

«Se mi dici queste cose mi sa che devo fare veramente qualcosa per salvarti...»

Scherziamo ancora un po', ricordando tutte le cose che lei regolarmente faceva cadere o che dimenticava in giro.

A un certo punto mi chiede: «Posso andare in bagno?».

«Non devi neanche chiedermelo, sai dov'è.»

Mentre è in bagno, cerco di capire cosa devo fare, cosa è meglio dire, come devo comportarmi. Apro la portafinestra che dà sulla terrazza ed esco a prendere una boccata d'aria fresca. Penso che questo è il momento giusto per convincerla a tornare da me, anche se ormai la sento lontana. Abbiamo scherzato e ho avuto la sensazione che le cose si stessero mettendo meglio. Devo riuscire a farla ridere ancora, essere allegro, divertente, leggero.

Mentre penso a cosa dire, lei esce dal bagno e mi anticipa: «Ora è meglio se vado».

Per fortuna pensavo che si era messa bene.

«No, non andare.»

«Sì, è meglio così.»

«Ancora cinque minuti.»

«Dài, non essere patetico. Devo proprio andare. Mi ha fatto veramente piacere tornare qui e vedere la casa. Anche incontrare te.»

«Ti accompagno con la macchina.»

«No, grazie.»

«Ma hai anche i sacchetti della spesa.»

«Sono leggeri, non ti preoccupare.»

Si rimette la giacca, prende le sue cose e si avvia verso la porta. Io mi sento morire. Lei è davanti alla porta di casa come quella volta che se ne è andata, quando non sono stato capace di dire nulla. La volta che l'ho persa. Ci guardiamo, mi abbraccia e mi dà due baci di circostanza sulle guance.

«Ciao, Lorenzo.»

Non riesco a salutarla. Non riesco nemmeno a dire un semplice "ciao". Poi, invece, le dico: «L'altra volta, quando te ne sei andata via da qui, mi imploravi di dirti qualcosa... ricordi? Eri lì, dove sei adesso, e mi dicevi di non rimanere impalato in silenzio. Te lo ricordi?».

«Sì, me lo ricordo.»

«Questa volta ti chiedo di rimanere... Ti prego, rimani. Torna da me e rimani qui per sempre.»

«Questa volta è diverso. È troppo tardi, Lorenzo.»

«Non è troppo tardi. Ascoltami, lo so che per stare con me hai dovuto rinunciare a tante cose, ma adesso sono qui e sono diverso, sono cambiato.»

«Adesso non si può più. È troppo tardi, Lorenzo... vado. Lasciami andare, ti prego.»

«Devi venire qui. Devi trasferirti da noi. Voglio

amarti, voglio che ti siedi al mio fianco, voglio po-
termi girare e saperti lì. Voglio appoggiare la mia
mano sulla tua gamba mentre siamo a cena con altra gente. Voglio tornare a casa in macchina con te,
commentare con te, criticare con te. Voglio addormentarmi, svegliarmi, mangiare, parlare con te. Ti
prego. Voglio parlare guardandoti negli occhi o gri-
dando da un'altra stanza della casa. Voglio vederti
tutti i giorni, guardarti camminare, guardarti aprire
il frigorifero. Voglio sentire il rumore del fon prove-
nire dal bagno. Voglio poterti dire tutti i giorni ciò
che sei per me. Voglio poter litigare con te. Voglio
vedere i tuoi sorrisi, voglio asciugare le tue lacrime.
Voglio che tu mi dica durante una cena di tornare a
casa perché sei stanca e hai sonno. Voglio essere lì
quando hai bisogno di un aiuto per chiudere il vestito. Voglio essere seduto di fronte a te quando indossi gli occhiali scuri mentre facciamo colazione al
mare e voglio offrirti il pezzo di frutta più buono.
Voglio poter scegliere un paio di orecchini per te in
un negozio, voglio dirti che stai bene con il nuovo
taglio di capelli, voglio che ti aggrappi a me quando inciampi. Voglio esserci quando comprerai le tue
scarpe nuove. Voglio dimenticare questi due anni
senza te, perché non hanno avuto senso.

«Ricominciamo pensando che era solo ieri quando
stavi andando via, e io ti ho fermata. Che le parole
che ti sto dicendo adesso te le ho dette due anni fa.
Facciamo che questi due anni sono stati due minuti. Possiamo farlo. Possiamo tutto. Possiamo tornare dove siamo già stati e scoprire tante cose nuove.
E sarà ancora più bello.

«Ma soprattutto voglio un figlio con te. Voglio un bambino che ti assomigli, che abbia i tuoi occhi. Voglio che la domenica mattina venga tra noi due nel letto. Voglio fargli il solletico insieme a te.

«Sei tu. Sono io. Siamo sempre noi. Noi. Questa è la novità. Ti prego, resta.»

«È troppo tardi, Lorenzo... troppo tardi.»

«Non è troppo tardi, ti prego, torna da me, torna, torna, torna...»

Si avvicina a me, facendo *sshhhhhhhhhhhh* con la bocca e posandomi un dito sulle labbra.

«Basta, Lorenzo.»

Smetto di parlare. La guardo negli occhi, le prendo il dito e lo bacio. Mi aspetto che lo tolga subito. Invece no, lascia che le prenda la mano e le dia piccoli baci continui. Poi le bacio il polso e il braccio. Lei non dice niente. Forse dovrei smettere e provare a convincerla a rimanere ancora un po', ma non riesco a fermarmi e ormai sono giunto al gomito e poi alla spalla e dalla spalla alla spallina del vestito che, come un ponte, mi porta al collo. Sento l'odore della sua pelle. Continuo a baciarla, e più lo faccio più so che mi sto avvicinando alla fine. So che la sto baciando per l'ultima volta. Per pochi secondi ancora. Per quanto ancora me lo concederà.

Non ho più paura di sbagliare. E la bacio. La bacio sulla bocca. Le mie labbra sulle sue mi fanno esplodere il cuore di gioia. Non mi staccherei mai. Lei apre la bocca. Sento la sua lingua morbida sulla mia. Neppure la prima volta è stato così potente. Neppure la prima volta ho provato questa sensazione inebriante. Non ci posso credere, non mi sembra possibile. Sto impazzendo d'amore. Il cuore mi batte in gola. Non capisco più nulla.

Continuo a baciarla tenendo il suo viso tra le mie mani. Lei lascia cadere la giacca che tiene in mano. La spingo contro il muro. Lo stesso identico muro dove abbiamo fatto l'amore la prima volta. Faccio scivolare una mano dietro la sua schiena, sento la cerniera del vestito, l'abbasso e la faccio cadere. Le slaccio il reggiseno. Riconosco subito la forma del seno, i suoi capezzoli, il neo che c'è nel mezzo. Prendo il seno con tutta la mano, poi inizio a baciarlo, e a strizzarlo. Le afferro i capelli dietro la nuca, appena sopra il collo, e tiro con un gesto brusco. Il suo viso è rivolto verso l'alto, e il collo sembra fatto per essere morso. Lei inizia a slacciarmi la camicia, mentre le mie mani sono sulle sue cosce.

Ogni dubbio, ogni tentennamento, ogni incertezza è svanita. Scivoliamo sul pavimento. La mia bocca si fa strada tra le sue gambe. Le sue mani sulla mia testa. La bacio mentre le sue dita iniziano a stringermi forte. Ha sempre fatto così, riconosco anche questo gesto. Riconosco tutto e tutto mi sconvolge. Tutto è ancora più potente della prima volta. Ogni ansimo, ogni respiro, ogni tocco, ogni bacio ha qualcosa di famigliare e di nuovo al tempo stesso. Lei preme la mia testa verso il suo corpo, è tesa, ansima, poi inizia a tremare. Io so che quando fa così dopo qualche secondo sentirò il suo sapore in maniera più forte. La conosco a memoria. Dopo qualche minuto viene. Sulle mie labbra, nella mia bocca. Lei. La mia donna.

So che ora vorrebbe spingermi via e, come sempre, anche questa volta appena lei inizia a farlo io oppongo resistenza. Perché come sempre voglio baciarla ancora. Mentre cerca di riprendersi, io mi sfilo i pantaloni e le sposto le mutande.

Tutto è rapido, intenso, pieno di ansimi. Appena entro dentro di lei è come se ci calmassimo, quasi fossimo arrivati da qualche parte. Arrivati a noi. Ci guardiamo negli occhi come se non ci fossero stati questi due anni, come se non fosse esistito nulla. Sento la sua pelle calda, i seni schiacciati sotto il peso del mio corpo, le gambe che mi avvolgono.

«Ti odio» mi dice all'improvviso.

«Non mi odi. Tu mi ami» le rispondo.

«No, non ti amo. Io ti odio.»

«Tu mi ami, dimmelo che mi ami.»

Sento le sue unghie premere sulla mia schiena.

«Dimmi che mi ami. Lo so che mi ami ancora... dimmelo.»

Le unghie ormai mi entrano nella carne.

«Mi fai male.»

«Lo so.»

«Dillo che mi ami.»

«Ti odio, ti odio, ti odio.»

Cerca di spingermi via, di liberarsi da me.

«Basta, vattene, spostati... lasciami andare, spostati... vai via.»

«Smettila!»

«Smettila tu. Lasciami andare... lasciami, ti ho detto.»

Mi spinge con violenza. La prendo per i capelli e tiro.

«Mi fai male.»

«Lo so.»

«Lasciami.»

«Dimmi che mi ami.»

«Smettila, lasciami andare! Ti odio, t'ho detto che ti odio.»

Le do uno schiaffo. «Dimmi che mi ami.»

«Smettila... Io non ti amo, io ti odio.»

Cerco di entrare di nuovo dentro di lei. Le sue gambe sono rigide, non si aprono. Le do un altro schiaffo.

«Apri le gambe.»

«Lasciami stare.»

Ancora uno schiaffo, poi un altro ancora... Lei non oppone più resistenza, mi avvicino ed entro dentro di lei. Le prendo il viso tra le mani e la guardo negli occhi. La stringo forte, con i pollici sulle sue guance. Muove la testa a destra e a sinistra cercando di liberarsi. La blocco obbligandola a guardarmi. Lei cerca di mordermi.

«Smettila di mordermi! Dimmi che mi ami.»

Mi guarda negli occhi, in questo sguardo è lei. In questo sguardo ritrovo la donna che amavo.

«Dimmi che mi ami.»

I suoi occhi si riempiono di lacrime: «Ti amo. Ti amo... ti amo... ti amo...».

Mi abbraccia.

«Ti amo anch'io. Mai come adesso.»

Lei mi stringe forte, così forte che faccio fatica a respirare. Rimaniamo fermi, abbracciati, per un'eternità. Poi facciamo l'amore. Ci guardiamo negli occhi, le sposto i capelli, le accarezzo il seno; lei mi infila le dita fra i capelli, mi bacia ovunque: bocca, guance, fronte, collo. Non c'è più rabbia.

Non ci diciamo nemmeno una parola, ma i nostri

sguardi quando si incontrano si dichiarano amore. Mi muovo in maniera impercettibile dentro di lei, poi con movimenti lenti e lunghi. La sua schiena inizia a irrigidirsi, i muscoli a tendersi. Sento che sta per venire. Le prendo una mano. Le mie dita si intrecciano con le sue. Il mio palmo sul suo. Stringiamo forte.

Le sussurro: «Aspetta amore mio, non venire... aspetta un istante, aspetta ancora un secondo. Vieni con me».

Voglio che quello che sto sentendo in quel momento duri il più a lungo possibile. Mi fermo un istante. Immobile dentro di lei. Poi inizio a muovermi ancora più piano, dentro e fuori.

«Aspettami, ancora qualche istante» le dico. «Solo un po'... solo un altro po'...»

Lei mi guarda e fa sì con la testa, senza parlare. Fa solo dei piccoli suoni soffocati.

Mi sento potente. Sento di possederla dopo molto tempo, dopo averla desiderata tanto. La guardo mentre sta per esplodere. La faccia è arrossata e vedo sulla sua fronte leggermente sudata spuntare le piccole vene che conosco benissimo. Mi chino su di lei e le sussurro: «Ti amo, amore mio... lo sai che ti amo? Voglio un figlio con te adesso... dimmi che lo vuoi anche tu. Io sono pronto».

Lei chiude le palpebre, serrandole forte per qualche secondo, poi le riapre e mi fissa negli occhi.

«Dimmi che lo vuoi» le ripeto.

Continua a fissarmi. Le labbra strette come quando si resiste a un dolore. Poi inizia a dirmi di sì, muovendo lentamente la testa. Gli occhi sempre più lucidi.

Io sono felice, come non lo sono mai stato. Ogni

cellula del mio corpo è piena di forza. Sento il mio orgasmo avanzare potente. «Ti amo, amore mio... non smettere di guardarmi negli occhi, guardami bene... e adesso... lasciati andare, libera tutto, adesso... adesso, amore mio, adesso... vieni... vieni con me... adesso... eccomi!»

Sento il suo piacere partire da molto lontano, arrivare al culmine ed esplodere insieme con il mio. Gridiamo stringendoci forte, con tutto il corpo in tensione in un orgasmo lungo, un orgasmo infinito.

Mi ritrovo in una dimensione sospesa, nel vuoto. Ci metto qualche minuto a tornare in me, a capire dove sono e cosa sia successo. Sono sdraiato sul pavimento, nudo. Di fianco a me la donna della mia vita. Lei che ha appena confessato di amarmi ancora.

Fisso il soffitto in silenzio, poi mi giro verso di lei. Mi sta guardando. Mi sorride e mi accarezza. I suoi occhi sono rossi, ancora gonfi di lacrime. Si avvicina lentamente e mi dà un bacio sulla punta del naso, poi sulle labbra. Continua ad accarezzarmi. Inizio ad accarezzarla anch'io, sempre in silenzio. Poi le dico: «Non andartene più da qui».

«In questi anni ho pensato che l'idea che ho sempre avuto dell'amore fosse un'idea che in realtà non esiste. Invece tu oggi mi hai fatto sentire che c'è. Quell'amore sei tu, adesso.»

«Per questo devi tornare da me. Siamo destinati a stare insieme. Se ancora oggi mi guardi con questi occhi vuol dire che anch'io qualcosa ti ho dato. Sono qui per te. Sono qui per noi. Sono sicuro che anche tu lo capisci questo. Non devo convincerti. Lo so che lo senti.»

«Certo che lo sento, ma non possiamo più tornare indietro. È troppo tardi.»

«Non è tardi, non è mai tardi. Cosa ti impedisce di tornare da me: la cerimonia e il ristorante prenotato? Le bomboniere?»

Silenzio... Lei inizia a baciarmi il viso: naso, occhi, sopracciglia, guance, mento. Io chiudo gli occhi.

«E se ti dicessi che sono incinta?»

«Come, incinta?» chiedo aprendo di colpo gli occhi.

«Sì, se ti dicessi che sono incinta? Per questo è tardi, non per il ristorante, la cerimonia e altro...»

Mi alzo appoggiandomi su un gomito per guardarla in faccia, per capire se sta scherzando.

«Guardami in faccia, sei incinta davvero o me lo stai dicendo perché vuoi che ti lasci in pace?»

«Scegli tu.»

«Non lo sei. Lo dici solo perché non ti fidi di me e mi vuoi allontanare. Ma non ci riuscirai. Neppure se tu fossi veramente incinta, ma non lo sei. Non avresti mai fatto l'amore con me, altrimenti.»

«Forse non mi conosci come pensi.»

«Non ci credo, comunque io ti prendo anche con un figlio. Se due persone si amano, sono destinate a stare insieme.»

«Sarebbe bello se fosse vero, invece a volte ci si ama, ma i tempi sono sbagliati. Noi abbiamo sbagliato i tempi.»

«Sei tu che ti sbagli. Non è tardi. Ci siamo ritrovati prima che tu ti sposassi con un altro. Giusto in tempo. E poi, mentre facevamo l'amore, hai detto che lo vuoi ancora un figlio con me. Magari lo abbiamo appena concepito.»

«Lorenzo, io ti ho sempre amato. Ti amo adesso come la prima volta. Ti amo come sempre, come quando me ne sono andata, come quando sono tornata. Ti amo come ti ho amato anche in questi due anni... non riesco ad amare nessun altro come amo te. C'ho provato, ma non ci riesco. Mi piace stare con te perché mi piace come mi guardi, come mi coccoli, come mi parli, come mi tocchi, come facciamo l'amore. Mi piacciono le tue vulnerabilità, quelle che ostinatamente tieni nascoste. Mi piace scovarle. Riconoscerle. Capirle. Mi piaci anche se sei sempre stato un prezzo alto da pagare. Hai vinto. E ogni volta che ho pensato a un figlio, ho sempre pensato che fosse tuo. Solo con te ho desiderato averlo perché so che tu sarai un bravo padre e perché io non ho mai amato e non amerò mai nessuno come amo te. Io ti sento. Ti sento sempre, anche quando non ci sei. Con nessun altro uomo mi è successo. Per nessuno provo quello che provo per te. Nemmeno per l'uomo che sto per sposare. Ti amerò sempre.»

«Anch'io ti amo. E anch'io voglio che sia tu la madre di mio figlio. Nessun'altra. Non sarebbe mio figlio altrimenti. Per un istante ho temuto di averti persa, ma ora che sei qui sento che non ci lasceremo mai. Ritrovarti è la cosa più bella che mi sia capitata. Ti amo e ti amerò per sempre.»

«Per sempre? Lo dici seriamente?»

«Non sono mai stato così sicuro in vita mia.»

Ci abbracciamo e rimaniamo così per un po'. Più bello dell'eterno sono gli attimi di eternità. Come questo. Poi mi alzo e vado in bagno. Prima, però, le chiedo se è felice. I suoi occhi diventano lucidi e una lacrima le scende lungo la guancia; lei abbassa lo sguardo e mi risponde: «Sì, sono felice. Quando esci posso farmi una doccia?».

«Lo sai che è casa tua e non devi chiedere.»

«Lo so. È anche per questo che sono felice adesso.»

In bagno mi guardo allo specchio. I miei occhi sono pieni di luce. Mi sciacquo il viso e mi asciugo. Prima di uscire apro l'acqua della doccia per lei e prendo un asciugamano pulito dall'armadietto. È stata la prima volta che ho raggiunto un orgasmo con il desiderio di concepire un figlio. E se non bastasse continuerò a farlo finché accadrà.

«Che ne dici se stasera ce ne andiamo al nostro ristorante per festeggiare?» le chiedo con il cuore gonfio di gioia mentre torno da lei. Lei che finalmente è tornata, lei che mi ha detto che non ha amato, che non ama e che non amerà mai nessuno come ama me, lei che vuole avere un figlio da me, lei che mi appartiene e alla quale io appartengo. Per sempre.

Torno in corridoio e trovo la porta socchiusa.

Federica non c'è più.

Arnoldo Mondadori Editore S.p.A.

Questo volume è stato stampato
presso Mondadori Printing S.p.A.
Stabilimento Nuova Stampa Mondadori - Cles (TN)

Stampato in Italia - Printed in Italy